大道微言

郁伟年 著

宁波出版社
NINGBO PUBLISHING HOUSE

图书在版编目（CIP）数据

大道微言 / 郁伟年著 .—宁波：宁波出版社，2016.5
（2020.10 重印）
ISBN 978-7-5526-2410-6

Ⅰ.①大… Ⅱ.①郁… Ⅲ.①吴语—汇编—宁波市

Ⅳ.① H173

中国版本图书馆 CIP 数据核字（2016）第 042983 号

大道微言

作　　者：郁伟年

责任编辑：沈建国　苗梁婕

封面设计：王泽闻　黄甜甜

内文排版：张玉洁

责任校对：朱璐艳

责任审读：虞姬颖

出版发行：宁波出版社

（宁波市甬江大道 1 号宁波书城 8 号楼 6 楼　邮编：315040）

印　　刷：宁波美达柯式印刷有限公司

开　　本：787mm×1092mm　1 ／ 16

印　　张：14.5

字　　数：110 千

版　　次：2016 年 5 月第 1 版

印　　次：2020 年 10 月第 3 次印刷

标准书号：ISBN 978-7-5526-2410-6

定　　价：39.00 元

序

宁波老话是吴越方言中的一朵奇葩，其独特的发音，形象生动的表述，以及寓于其中的哲理，体现了千百年来宁波人民丰富的生活积累和集体智慧，具有强大的生命力和地域凝聚力。一句"世界大拘只鹅，世界小拘只鸟"，激励多少宁波人闯荡世界，搏击商海；一句"下饭呒告，饭吃饱"的坦诚告白、亲切叮嘱，温暖多少游子的心；即使在天南海北、异国他乡，只要听到有人说起"阿拉……阿拉……"的话语，就会有一种莫名的激动，思乡之情油然而生。

20世纪80年代以来，宁波文化界和媒体界开始用不同形式宣传推广宁波老话，以期通过弘扬地方优秀传统文化，凝聚新老宁波人、海内外"宁波帮"的力量，共同建设家乡。先有周时奋先生的《活色生香宁波话》，后有《东南商报》的《每日一句宁波话》栏目，宁波电视台也开辟了相应的宁波话栏目，受众广泛，影响甚好。但是我总觉得缺少了点什么，缺少的就是对其内涵的深度挖掘，以及新形势下对宁波老话符合社会主义核心价值观的新的诠释，使之更有活力，更具正能量，编写本书的目的就在于此。本书共收录137个宁波老话词条，逐句进行解析，并加入新的含义，试图既保留宁波老话的古朴特色，又体现时代特征。

宁波人把聊天、讲闲话叫作"讲大道"。书中所列的宁波老话及其释义,编者都先发表在微信上,故篇幅不长,所以可称为"微言"。把"大道"与"微言"结合起来,取书名为"大道微言",寓微言虽轻贱却蕴含大道理之意。

宁波老话是一座蕴藏丰富的文化宝库,需要进一步发掘整理。愿与有志于此、有趣于此的同道们一起继续深入研究,使之更好地传承和光大。

作 者

2016年3月

目 录

大戤戤 /001
世界大㧣只鹅，世界小㧣只鸟 /002
吃着不如坐着 /004
厚己 /006
走遍天下，不及宁波江厦 /007
横横动 /010
骨头脑髓 /011
财与命相连，做煞呒相干 /012
泡春 /014
轧苗头 /016
大头天话 /017
活络活络，背只料勺 /018
鲫鱼骨头里戳出 /019
门门帐 /022
呒人值钿自值钿 /023
搭凳弗坐讨凳坐 /026
有佬儿子讲天话 /028
佘江浮尸 /029
装侬记 /030
牵头皮 /032

背风火 /033
吼势 /034
阿林娘 /036
翻白 /038
蛇篓 /039
桥头老三 /040
和消头 /042
巴结 /044
顶头摸脚 /045
老虎直头眼 /046
混混日脚过，苦苦阿狗大 /048
偻勾师 /050
灰篓扑出 /051
惇惇动 /052
铁丝克箩 /053
拗孟公 /054
带鱼吃肚皮，闲话讲道理 /056
脚高脚低 /057
狗皮倒灶 /058
三岁打娘娘会笑，廿岁打娘娘上吊 /060

推扳 /062

犯关 /063

弄送 /064

千人条 /066

绿壳 /067

眼大吭光，蛋大吭黄 /068

乌鳢鱼打桩 /070

弗长毛 /071

拷瓦爿 /072

一头纱筛一头磨 /074

嚼麦糕 /076

讲讲神仙阿伯，做做死蟹一只 /077

鬼戳边 /078

好日黄干 /080

八分形过 /082

戳壁脚 /083

对折拦腰掼，零头捋捋翻 /084

屙道头 /086

心望弗定，起课算命 /088

蛳螺壳里做道场 /090

跟老虎吃肉，跟黄狗吃屙 /091

鬼打墙 /092

腻腥 /094

祟气 /096

看勒其屙撒出 /097

拖油瓶 /098

老酒糯米做，吃落闲话多 /100

恶宁囥臭食 /102

丫轻骨头 /103

生看见，熟吭份 /104

差排鱼 /106

电灯泡 /107

宁肯搭乖人背包袱，弗可搭笨人出主意 /108

卖秘诀 /110

发大兴 /112

隔进乱缠 /113

撬祸 /114

镂根挖髓 /116

暗弄堂塞狗腿 /118

扯牌头，戤牌头 /119

十三点 / 120

掼砂锅 / 122

若要好，大做小 / 124

叉木宁 / 125

鲁班师傅造凉亭，还要被小讨饭吃批评 / 126

边打边相 / 128

眼睛一眨，癞孵鸡变鸭 / 129

蟹爬 / 130

三岁依记看到老 / 132

千丝扳藤 / 134

跑过三关六码头，吃过奉化芋艿头 / 135

饭店门口摆粥摊 / 136

癞头怕剃头，剃头怕癞头 / 138

王三舞尽 / 140

爹头娘脚 / 142

人头上轧轧，水面墩划划 / 143

了远隔水 / 144

邪火气 / 146

呒进呒出 / 148

背耙 / 149

落轧 / 150

装细巧 / 151

结棍 / 152

嘎门 / 154

虾有虾路，蟹有蟹路 / 155

三缺一，伤阴鸷 / 156

三个老戎顶潮鸭 / 158

出力弗讨好，阿黄搡年糕 / 159

亲家姆讨饭相，矮凳勿坐坐地样 / 160

鹿过江 / 162

狗生狗值钿，猫生猫值钿，癞头儿子自中意 / 163

头出角 / 166

屋山尖头开门 / 167

心越急，柴越湿 / 168

恶嘴眼相 / 170

二五当八六 / 172

热血刮心 / 173

地要东乡，儿要亲生 / 174

窠头 / 176

拷横档 / 177

按头叩脑 / 178	小姑姑 / 205
儿子生一百，不及老头一只脚 / 180	夜哭郎 / 206
侃 / 182	子字歌 / 207
头埭梗青 / 183	郎啊郎 / 208
河水翻浆 / 184	火萤队 / 209
行魔苦运 / 185	姑姑害我 / 210
瘟鸡耷头 / 186	鸹 鸹 / 211
候分刻数 / 188	阿 福 / 212
哏 / 190	小白菜 / 213
呒郎看天 / 191	要老公 / 214
七依八对 / 192	踢踢扳扳 / 215
眯过眼笑 / 194	虫虫飞 / 216
衣裳贼破，胆子贼大 / 195	请菩萨 / 217
咬奶头 / 196	讴魂灵 / 218
人要衣装，佛要金装 / 198	奥贝贝 / 219
面白料峭 / 199	钉扣子 / 220
笨贼偷捣臼 / 200	懒汉讲懒话 / 221
摇啊摇 / 201	掰茭白 / 222
月月歌 / 202	
九九歌 / 203	后 记 / 223
实在要买中国货 / 204	

大戤戤

> 大大咧咧,既不热情也不冷淡,既不主动也不被动。

"大戤戤",是宁波人经常说的一个词,意思是大大咧咧,既不热情也不冷淡,既不主动也不被动,心里清楚,看准了再行动,体现了宁波人为人处世的中庸之道。其具体表现在:为官守本分,提拔顺其自然;改革不做第一,不冒风险,看别的地方有成效了再紧跟;做生意喜欢八分形过,做大了怕枪打出头鸟,出头椽子先烂,所以就有了"五千万现象",就是企业产值做到五千万元,利润有千把万,小日子过得很富足,进取心就少了,再也不想做大做强了;即使与人吵架也是动口多动手少,要紧关头,就找个借口,体面地溜走了。

有个笑话:一帮外地人和一帮宁波人吵架,外地人起了血性,要与宁波人真刀真枪干上一架。宁波人害怕吃亏,且战且退,可嘴上还是很强硬,说:"你们等着别走,我去把兄弟叫上和你们打,走了就是畜生!"然后一溜烟,不知去向,金蝉脱壳之计也。

"大戤戤"既有悖待客之道,也有违创业发展之潮流,是一种消极处世、不求上进的思想意识。在改革开放势如破竹的今天,宁波人当破除陈旧落后的传统观念,以"敢为人先、争创一流"的精神风貌追赶世界潮流,争做中国城市的排头兵。

世界大抲只鹅 世界小抲只鸟

> 要想做大生意赚大钱，成就大事业，就要开阔眼界、敢闯敢干。

宁波人善经商。近代以来，涌现了许多商界巨子，王宽诚、包玉刚、邵逸夫等人是宁波商帮的杰出代表。在几代人闯荡商海的历程中，得出了"世界大抲只鹅，世界小抲只鸟"的结论，十分形象地说明了胆魄与收获的关系。这里的"世界大"是指胆量大、场面大，做的生意大，反之亦然；这里的"鹅"是指个头大、收获大，"鸟"就是指个头小、收获小。整句话的意思是指要想做大生意赚大钱，成就大事业，就要开阔眼界、敢闯敢干；如果仅仅局限于一域一地，满足于做些小生意、过过小日子，那么得到的也就是像"鸟"一样的蝇头小利了。

如果从精神层面来理解这句话，也是同样的道理。一个人如果没有大局观，没有远大的追求，鼠目寸光、小肚鸡肠、斤斤计较，是不可能干出大事业来的，不仅抲不住鹅，甚至抲牢的鸟也会飞走的。

古人云："不谋万世者，不足谋一时；不谋全局者，不足谋一域。"作为一个地方的领导者，或者一个企业的老板，要把一个地方、一个企业发展好、建设好，必须要有世界眼光、国际思维，彻底摒弃封闭僵化的思想观念，把一个城市、一个企业放在世界大格局中去谋划，并且脚踏实地一步步干下去，那么若干年后会有一只美丽的"天鹅"呈现在大家面前。

[世界大拘只鹅,世界小拘只鸟]

吃着不如坐着

> 地理位置好,可以享受更多更好的待遇。

"吃着不如坐着",意思是地理位置好,可以享受更多更好的待遇。过去的饭桌是方的,像八仙桌之类,共四个边,每边坐两个人,一般可坐八人。桌面上不像现在这样有转盘。放在桌子上的菜是固定的,如果你位置坐得不好,好的菜或你喜欢吃的菜不在你面前,你就会很郁闷,而且为了礼貌起见,也不能经常站起来"了远隔水"地用筷子去"钳"。反之,你坐的位置好,那你就可以比较隐蔽地大快朵颐了。

引申到发展上,某个地方靠近发达地区或国家政策鼓励发展的地域,这个地方就会近水楼台先得月,抢得发展先机。计划经济时期,宁波城郊的湾头,由于靠近宁波主城区,农民以种蔬菜为主,富裕程度远远高于江北区其他乡镇。至于深圳,由于毗邻香港,改革开放后国家在此设立经济特区,经济发展蓬蓬勃勃,一个不起眼的小渔村转眼间变成了国际大都市,这说明地理位置是何等重要。

改革开放前,宁波由于地处东海前哨,国家没投入,机制被束缚,既没坐着也没吃着。十一届三中全会后,宁波坐着了地方,作为14个沿海开放城市之一,又实行计划单列,陆续实施建设了北仑港等一大批基础设施和临港产业大项目；体制机制也搞活了，民营经济迅速崛起。无论是经济总量，还是城市面貌、社会事业，宁波都发生了翻天覆地的变化，几个国家战略里都能找到宁波的影子。但坐着是不是吃得着、吃得好，就要靠自己努力了。

厚己

用现在的流行语来说,叫任性。

"厚己",指不管三七二十一,凭自己的兴趣、爱好做事而不计后果。用现在的流行语来说,叫任性。比如八九岁的小孩,晚上八九点钟了,还要到隔壁小朋友家去玩,爸妈就会骂他:"介厚己,人家都要困了,侬还要去做啥?"小年轻谈恋爱找对象,父母对对方不满意,认为门不当户不对、不般配,劝自己的孩子断了关系,孩子们当然不会轻易放弃。于是,父母就说:"侬介厚己,找这种人做老婆(老公),以后小苦有得吃了。"做"厚己"的事情时往往头脑发热,是听不进别人意见的。比如开车,为了抄近路,不走大路走小路,小路偏偏又是单行线,同车的人劝他,这条路不能开,他就是不听,结果被交警逮个正着,又是扣分又是罚款,这时才懊恼起来。

做人做事"厚己"不得,在现代社会,一个公民的行为有国家法律约束、社会道德规范,一个党员有党纪党规管着,绝对不能我自己想怎么样就怎么样。举头三尺有神明,千万要管好自己,不能胡来。

走遍天下不及宁波江厦

这个地方是近现代中国金融业的起源地之一,宁波人称之为中国第一条华尔街。

"走遍天下,不及宁波江厦",这句话充分表达了宁波人对家乡的自豪和热爱。19世纪中下叶,地处宁波三江口的江厦街银楼林立、钱庄遍地,与之相配套的商铺鳞次栉比,饭店、点心店、南货店、绸布店人头攒动、热闹非凡。这个地方是近现代中国金融业的起源地之一,宁波人称之为中国第一条华尔街。隔江而望,是老外滩。鸦片战争后,清政府被迫开放门户,宁波是五口通商城市之一,老外滩成了当时外国商行、驻甬领事机构、传教士聚集之地,开放程度很高。可是,时过境迁,随着上海的崛起,十里洋场呈现了巨大的商业魅力,宁波商人从此陆陆续续向上海迁移,成为上海商界的主力军。江厦街也渐渐没落,失去了昔日的光彩。可宁波人对江厦街的情结始终没有淡化。一说起家乡,自然就会想到江厦街。宁波人还说,先有宁波老外滩,后有上海新外滩。

厚重的历史积淀既是一个国家一个城市宝贵的精神财富,也可能成为这个国家、这个地方民众沉重的心理包袱,成为解放思想、开拓创新的绊脚石。

这方面的例子古今中外都有,比较典型的是埃及。古埃及文明冠绝世界，至今遗留下来的金字塔、狮身人面像等让人叹为观止。埃及人民一向以此为荣，而且某种意义上也成了当代埃及人民的谋生之道。可到过埃及的人对埃及的印象怎样呢？一句话：不仅落后，而且毫无生机。荣耀的历史对他们的发展不仅不是正能量，反而束缚了他们的思想和手脚。

  江厦街的辉煌，老外滩的荣耀，都成了一片浮云，沉湎于历史的记忆无助于我们开拓未来，倒是应该从历史上宁波衰落、上海崛起的经历中吸取教训，好好思考宁波发展的未来。

[走遍天下,不及宁波江厦]

横横动

> 指接近中心又没超过中心,差不多就到这个水平了。

"横横动",指接近中心又没超过中心,差不多就到这个水平了。某人在河里捕了一只大甲鱼,大家七嘴八舌,猜有多少重。甲说:五斤左右。乙说:没有,差不多三斤。丙说:我看四斤"横横动",就是四斤不到一点。打排球有边界,出了边界就让对方得分了。如果球刚好落在边线上,就是运气,可以得分。由于球速快,有时球落在界内界外很难判断,裁判可能判出界,也可能判界内,在界内也是"横横动"的差距。当然,现在监控技术发展了,对裁判的判断有质疑,可以提出申诉,用回放录像的办法来解决。

"横横动"是定性不定量,在宏观管理上是可以的,但从操作层面讲,是不允许的。微观管理讲究一是一,二是二,马虎不得。所以,一定要摸清底细,掌握实情,才能把工作落到实处。

骨头脑髓

表示没有什么,是空的、虚的。

"骨头脑髓":骨头和脑髓都是生命体的要害部位,是不可或缺的,但是宁波人反其意而用之,表示没有什么,是空的、虚的。比如,出差回家,大包小包的,儿子看见了,还以为给他买了什么好吃好玩的东西,要翻翻你的包,然后你说:"骨头脑髓啊,我这次出差很忙,一样东西也没买,下次出差再给你买吧。"一项工作做了好长时间,付出了努力,最后却没有收获。当事人心情很差,发牢骚:"做骨头脑髓啊,辛辛苦苦一场呒结果,下次弗做类。"

付出努力却没有收获司空见惯,关键是心态要好,不能因为一次两次没有收获,就怨天尤人,把"骨头脑髓"作为口头禅,只要有信心有决心,肯定会有收获的一天。

财与命相连 做煞呒相干

> 把自己的穷，归结给命运，好像今生的穷是前世注定的，再努力也没用。

"财与命相连，做煞呒相干"，这是过去穷人说的话，自己辛辛苦苦干了一辈子还是穷，看看人家不用花多少努力就轻轻巧巧地过着富裕日子，心中有不平，但又无可奈何，于是就把自己的穷，归结给命运，好像今生的穷是前世注定的，再努力也没用。这句话用作自我安慰，可以避免产生仇富心理，减少社会矛盾。但如果在人生路上遇到一些挫折，就灰心丧气，认为都是命里注定的，自己再努力也没用，没有了斗志，没有了追求，那就有害了。付出过了没收获，就继续付出，我想终会有成功的一天。

有许多这样的例子。中国著名数学家华罗庚，家境贫寒，而且一条腿残疾，少时在杂货店做学徒。你说他的命好？实在是不好。可人家凭着一种刻苦的精神，一种锲而不舍的韧劲，一边做学徒，一边学文化学数学，最后终成大家，改变了自己的命运。

看相算命的都说自己能预知未来，看得出一个人的凶吉运势。如果他说你某个时候会有一劫，然后又给你开了一个方子，跟你说按这个方子去做便能化凶为吉，渡过难关。抛开这个方子的迷信色彩不说，无非是要你做件什么好事，或花钱捐助穷人、寺院，这就说明命运是可以因主观努力而改变的。因此，千万不要因为一时的穷苦而潦倒，要始终对生活充满信心，相信自己才是自己的救世主。

其实，命运掌握在自己手里。

[财与命相连，做煞呒相干]

泡春

爱热闹,有一些十三点。

"泡春"这个词看上去有些情色,让人想入非非,它在宁波话里的意思是爱热闹,有一些十三点。比如过年时,小孩子们很兴奋,凑在一起放鞭炮,鞭炮响起,大家欢呼雀跃,不巧一个鞭炮落在人群里,炸伤了一个小孩的手。小孩哭哭啼啼回到家,母亲又是心疼又是埋怨,一边给他包扎,一边数落:"介泡春,叫你小心点小心点,你就是不听,闯祸了吧。""泡春"不仅发生在小孩子身上,成年人有时也会"泡春"起来,唱歌、打牌、开玩笑,闹得不可开交。做人"泡春"一点并不是坏事,可以调节心情,保持年轻的心态;成天死气沉沉,暮气重重,会让人变老、变迟钝。因此,适度"泡春"是应当鼓励的。

但凡事都要有度,不能过分。否则人家会叫你十三点、头头动。比如,单位里一群人在开会,气氛比较严肃。突然你闯进来,手舞足蹈,说了一些文不对题又让人哄堂大笑的话,把好好一个会议给搅黄了,这种"泡春"就过分了。年纪大的人太"泡春",人家还会说:"老头老泡春,屙撒米缸墩。"那就不值得了。所以,人的言行一定要把握分寸,不要做过分了。

[泡春]

轧苗头

探口风、观脸色，以猜测某人某事凶吉悲喜。

"轧苗头"：轧，刻意做某事；苗头，萌芽、起始状态。"轧苗头"就是探口风、观脸色，以猜测某人某事凶吉悲喜。比如，传说某人要高升了，有好事者想打听一下是否属实，去问本人，想想本人不一定知道，即使知道也不会告诉你。想到上级组织部门有熟悉的人，于是对同事们说："某人我认识，要么去侧面问问，轧轧苗头？"于是众人怂恿之。

某人平时很开朗，笑容一直挂在脸上，可这几天却闷闷不乐，板着脸，见人不理不睬的。有人就开始"轧苗头"："被领导批评了？投资失败了？与老婆吵架了？生病不舒服了？"猜了好多不吉利的事由，直到他自己说出来："一个远房老亲戚过世了，心里难受。"众人才明白是怎么回事。

有些人喜怒哀乐形于色，不"轧苗头"也能猜到他有喜还是有悲；有些人有城府，就算你要"轧苗头"也难测他的状态。但事物发展一般都有规律可循，"轧苗头"、做好事者其实也没什么意思，关键是把自己的事情做好，至于别人的事还是少掺和为好。

大头天话

虚无缥缈,不着边际,无法实现的话。

"大头天话",指虚无缥缈,不着边际,无法实现的话。讲"大头天话"的人,宁波人又称之为"万三",意思是讲一万句话,其中可以相信的、落到实处的还不到三句。

比如,一群朋友闲来无事,到一茶馆聊天,其中一人口才特好,高谈阔论,口若悬河。谈炒股,他只赚不亏;谈旅游,高爬过珠穆朗玛峰,热穿过撒哈拉大沙漠,冷到过南北极;谈朋友,那是遍布全世界,国家领袖、商业奇才他都认识,还吃过饭,交换过名片。听得众人只有仰慕的份了。可偏偏有人不识相,问:你炒股赚了多少钱?只听他大言不惭地说:"我买了100股。"众人皆笑:"侬讲大头天话。"

茶余饭后讲些笑话,说些大话空话,活跃气氛,博人一笑,大家开开心心,是人生一乐。众人没必要去戳穿话中的破绽,可对这种"大头天话"也千万别去相信,听过高兴一下就是了。喜欢讲"大头天话"的人也要注意,不要把这种习惯带到正式场合去,万一真的有人被你忽悠了,相信你了,你想收场就难了。

活络活络 背只料勺

> 人聪明过头，反而没有出息。

　　宁波人说的"活络"，是指头脑灵活、聪明乖巧的人；料勺是一种农具，用一根竹竿做长柄，末端套一个水斗状的勺子。农民施肥时用料勺在便桶里舀上一勺粪便，然后再浇到庄稼的根上。"活络活络，背只料勺"这句话的意思是说人聪明过头，反而没有出息。

　　《红楼梦》里的王熙凤，八面玲珑，说话做事滴水不漏，偌大的一个荣国府被她打理得井井有条。可她实在太聪明了，私心又重，放高利贷、包揽官司、草菅人命、中饱私囊，到头来身败名裂，一领草席裹尸，魂返金陵。所以曹雪芹说她：机关算尽太聪明，反误了卿卿性命。现代社会某些人，心思很活络，这山望着那山高，频繁跳槽，结果一事无成；某些人，很会见风使舵，今天哪个人得势，便拼命拍马屁，明天这个人失势，便又投奔新主子去了，而且还要对原先拍过马屁的人落井下石，踩上一脚。这种人看起来活络聪明，其实内心肮脏，一旦被人看穿，是没有好果子吃的。所以，人太聪明不好，活络过了头，结果也可能很惨。一是让人觉得滑头，无法相信；二是缺乏定力，领导和同事不放心；三是害了自己，无法成就事业。所以还是本分一点好，即使你有超出常人的智慧，也要大智若愚，韬光养晦；否则，背只料勺就悲哀了。

鳓鱼骨头里戳出

内部矛盾向外捅，窝里斗、起内讧、打内战，使矛盾复杂化。

东海有种鱼，外形像菜刀，又像人的肋骨，宁波人称之为"鳓鱼"。鳓鱼味道鲜美，但鱼刺很多，而且刺从里往外长，也看不出有什么规律。宁波人一般喜欢腌后蒸着吃，吃时须小心翼翼，否则鱼刺很容易卡在喉咙。"鳓鱼骨头里戳出"的意思就是内部矛盾向外捅，窝里斗、起内讧、打内战，使矛盾复杂化。

"文化大革命"时，由于派别不同、路线不同，兄弟阋墙、夫妻反目、朋友成仇的现象不胜枚举。亲朋好友之间私下里讲的一些话被人检举到造反派那儿，然后上纲上线，成了反动思想、反革命言论，挂黑牌被批斗遭毒打，祸水就是"鳓鱼骨头里戳出"，后果十分严重。同样，一个单位的领导班子讨论某人的任命问题，班子成员之间对此人有不同意见，有同意提拔的，也有不同意的，都很正常。可会后当事人马上就知道谁是赞成的，谁是反对的。显然，有人漏风跑气，做了"鳓鱼骨头"。像这样违反纪律的行为，对组织、对个人造成的危害是非常严重的。

"宁波帮"是宁波一张非常响亮的名片。可细想，宁波人结帮吗？

所谓"宁波帮"无非是在外地的宁波人的个体集合,个体之间并没有很多经济、政治上的交集。我觉得这与宁波人喜欢单打独斗的性格有很大关系,也与怕"鳓鱼骨头里戳出"的防范心理有关。

　　成大事者,团体也。宁波人应当进一步增强集体意识、团队精神,特别是在困难的时候,要抱团取暖,共渡难关,切忌相互"戳壁脚",搞小动作。

[鲫鱼骨头里戳出]

门门帐

> 应该的,理所当然的,天经地义的。

"门门帐",意思为应该的,理所当然的,天经地义的。如黄梅天雨水多,宁波人说,梅雨天出门,"门门帐"带雨伞。春节回家看望祖父母、父母,帮年迈的父母做点事,向父母讲讲工作上、生活上的事,都是"门门帐"的。是的,这世上有许多"门门帐"要做的事:父母抚养儿女,儿女赡养老人;尊老爱幼,尊师重教;做官的尽职尽责,廉洁奉公;老百姓守法诚信,爱国奉献……凡是顺天应民的事都是"门门帐"的。

这世上更有许许多多的事不是"门门帐"的。如果将不该得到、不该享受的待遇也当成"门门帐",那就是一种道德缺失,一种罪过。比如儿子啃老,二十好几了还不肯出去工作,宅在家里由父母养着,自己还觉得理所当然;要结婚了,自己没本事买房子,一定要逼着父母给自己钱,而不管父母的承受能力,还认为父母给自己买房是"门门帐";又比如捐款做慈善,受益人觉得我穷,你们理应帮助我,得到善款不仅不感恩,反而心安理得。

幸福生活靠劳动创造,一个四肢健全、脑子好使的人,要切记别人的施舍是对自己的侮辱,用自己的心血与汗水换来的才是最珍贵的,享用自己的劳动成果才是最踏实、最香甜的。

呒人值钿自值钿

当没有人重视、关心、疼爱你时,你要自爱自立自强,不能自暴自弃、妄自菲薄。

"值钿"在宁波话里是指受到重视、关注、庇护和疼爱。这话一般是长辈对晚辈说的。比如母亲在跟自己的孩子亲热时会说:"妈妈值钿宝宝。"孩子小的时候,尤其是受了委屈时也会要求妈妈"值钿"自己。"呒人值钿自值钿"的意思是当没有人重视、关心、疼爱你时,你要自爱自立自强,不能自暴自弃、妄自菲薄。这是一句充满正能量的话,体现了一个人自信和自强不息的精神风貌。

当今世界,国家之间,区域之间,企业之间,甚至人与人之间,竞争激烈,不进则退,慢进也是退。你想成长得快一点,发展得好一些,靠别人的庇护、照顾、恩赐、施舍显然是不现实的。但就是有人抱着"等、靠、要"的思想不放,幻想天上掉馅饼,享受免费的午餐。媒体曾报道,某个贫困县戴着贫困的帽子不肯摘,甚至有个原来不是贫困县的,也千方百计想戴上贫困的帽子,目的无非是想让国家多补贴点钱,让社会各界多支持点。殊不知,国家和社会的支持仅仅是给你输了点血,一段时间内可能会促进一个地方的发展,但根本的造血问题并没解决,发展的活力和后劲没有培育起来，几年以后老百姓又会返贫变穷。更严重的后果是助长了部分民众的依赖性，自力更生改变家乡面貌的信心动摇了，长此以往这个地方就会产生恶性循环，贫困状态长期改变不了。

其实发达地区同样有这样的问题，干部和民众当然希望国家给予自己的家乡更多体制、政策、试点、项目的支持，让发展有更好的外部环境。但我们国家这么大，发达地区已经在改革开放中享受了政策红利，进一步的发展主要还是靠自己的努力，通过发挥内生动力和深化改革激发新的活力，埋怨国家不重视、不支持、发展难度大的想法都是不对的。

[咊人值钿自值钿]

搭凳弗坐讨凳坐

> 运气好让你碰上了，你却没有把握住，机会稍纵即逝，想再要就难了。

"搭凳弗坐讨凳坐"，说的是到别人家做客，主人热情相待，拉出凳子请客人坐。客人作假客气状，说："不累不累，我站着就好。"主人再三请客人坐，客人再三谢绝，主人只好顺其自然。可站得时间一长，客人的腿有点酸了，受不了了，还是想坐下来，于是问主人："还有凳子吗？我想坐一会儿。"过去人穷，家里没几条凳子，如果还有凳子，倒无所谓，如果仅有的几把被别人占满了，主人就会觉得很尴尬，心里不免要想：这个人有点虚伪，"搭凳弗坐讨凳坐"。

现实生活中，"搭凳弗坐讨凳坐"的现象经常发生。比如，老板叫一名员工去外地出差，这趟出差不辛苦，压力也不大，而且还可以领略当地的风光。可这个员工不假思索地找个借口回绝了，老板只好另换他人。几个小时后，这个员工觉得这趟出差是个肥差，又想去了，于是厚着脸皮跟老板说：这次还是让我去吧。这时老板的脸色会很难看，并且不会再给他机会了。

如果把凳子视作一种机遇，一种机会，运气好让你碰上了，你却没有把握住，机会稍纵即逝，想再要就难了，所以一定要把握好机会之凳，好好珍惜，善加利用。

[搭凳弗坐讨凳坐]

有佬儿子讲天话

> 自己有了什么好东西，言谈中不自觉地把这种自豪感表露出来了。

自己有了什么好东西，吃过什么好东西，心里很满足很自豪，言谈中不自觉地把这种自豪感表露出来了。宁波人把这种现象称为"有佬儿子讲天话"。

比如，某人生了个儿子，满心欢喜，而且那种喜悦溢于言表；恰巧他的朋友生了一个女儿，本来生男生女都一样，但这位朋友重男轻女，生个女儿心里觉得懊恼。生儿子的到朋友家做客，看到他女儿，就说生女儿好，长大了随父母亲，生儿子讨债。朋友知道他在讲现成话，就会说："侬有佬儿子讲天话。"又比如，一个女的有一只"爱马仕"的包，心里那个开心呀，同事见了也很羡慕，问是谁买给她的，多少价格，她回答："便宜便宜呵，是我上个月去香港时买的，没啥好稀奇呵。"这些女同事也会用"有佬儿子讲天话"来回击她，意思是你炫富，出风头。

得到了喜欢的东西，自己心里美美就行了，千万不要去外面炫耀；人家有了好事喜事，尽管你自己的好事更好，喜事更喜，也要真心诚意地祝福别人。否则，人家就会羡慕嫉妒恨。

佘江浮尸

指终日游荡在外、不务正业、毫无责任心的人。

"佘江浮尸":佘,宁波话是浮在水上的意思。"佘江浮尸"就是像尸体一样浮在江面上随水而流,意指终日游荡在外、不务正业、毫无责任心的人。

一个人不打招呼,离家出走,几个月过去了,甚至几年过去了,音讯全无,父母家人牵肠挂肚,千方百计寻找,他全然不放心上,只管自己逍遥自在。忽然有一天,他不声不响地回来了,总以为从此可以在家侍奉高堂、安心度日了,想不到没过几天,他又出走了,不知去向。讲起这个人,隔壁邻居就说:"他们家某人啊,是佘江浮尸啦,没用场类,害苦了其老婆儿子。"

人们对这种不负责任的人是非常鄙视的。出门在外,心要有所记挂,要牢记父母养育之恩、妻子恩爱之情,千万别做"佘江浮尸"。

装依记

作死、发嗲、迷惑人。

"装依记",宁波话里是作死、发嗲、迷惑人的意思,一般是女人和小孩经常会做的行为。

孩子小的时候,为了得到妈妈的亲热,会朝妈妈眨眨眼,噘噘嘴巴,咧嘴笑笑,妈妈看了会很开心,给他一个吻,给他一个拥抱,嘴上还会说:"阿拉宝宝真乖,会装依记类。"如果一个成年女人向男人抛媚眼,说话故意嗲声嗲气,动作有点暧昧,旁观者就会说,这个女人"依记"介多,介会"作"。"装依记",往往带有一定目的。妻子向丈夫"装依记",除了表示恩爱外,可能是做错了什么想获得丈夫的谅解,或者是看上一件衣服想叫老公陪她逛街去买。若是女下属向男上司"装依记",可要提高警惕了,她或许是为了提拔,或许是为了获取职场上的好处,或许是有其他需要领导关照的事情。如果你意志薄弱,几次"依记"后骨头酥了,脑子糊涂了,被拿下了,后果不堪设想。所以,在女人的"依记"面前要预先穿好防弹衣,防止在糖衣裹着的炮弹面前打败仗。另外说一句,男人可不能"装依记",否则别人会起鸡皮疙瘩的。

[装依记]

牵头皮

> 子女晚辈在外面惹了祸，牵扯到家长或家族头上，败坏了家庭的声誉。

牵：牵涉，牵连；头皮：脸面、面子。"牵头皮"这个词说的是子女晚辈在外面惹了祸，牵扯到家长或家族头上，败坏了家庭的声誉。比如，王家的儿子在学校里与同学打架，把人家打出了血。老师把王爸爸叫到学校，一边批评一边问怎么向人家家长交待。王爸爸觉得儿子"牵头皮"，很没面子，心里憋着一口气，待事情处理完毕，回到家里就把儿子一顿揍。可是光揍是不管用的，过了不久，儿子又接二连三闹出事，不是用弹弓把人家玻璃窗打破了，就是用钢笔在女同学的衬衣上画花，几次三番被"牵头皮"，王爸爸丢尽了脸，也促使他思考如何改变教育儿子的方法。

"牵头皮"也可用到一个单位的集体荣誉上。一个部门的某一位干部违法违纪，被追究法律责任，就会牵整个单位的"头皮"，影响单位的形象。不仅单位领导感到没面子（按党风廉政建设责任制，分管领导和一把手也有可能会受到处分），而且单位的工作人员也会感到抬不起头来。

所以，作为家庭成员也好，作为单位工作人员也好，都要有集体荣誉感。作为一个中国公民还要有国家荣誉感，出国出境都要有良好的言行表现，自觉维护中国人的文明形象，不牵国家的"头皮"。

背风火

指冒风险。

"风火"指风险、危险;"背风火"就是指冒风险。比如,一个老板与别的公司谈合作,共同投资一个项目,项目回报高、见效快,但投入大,有一定风险。老板考虑再三后说:"下决心背点风火,做一笔算了。"

讲改革、讲创新,肯定是有风险的,如果循规蹈矩、按部就班,是闯不出新路的,只要法无禁止,不为个人谋私利,有利于发展,就要有敢"背风火"的精神。可是现在好多人已经没有这种敢试敢冒险的劲头了,要担点责任就会冒出"背啥风火"的念头。如果这种现象形成风气,那么好多难题就破解不了,改革发展就会受影响。

所以,作为企业员工也好,作为机关事业单位工作人员也好,一定要有担当意识,为我们国家、我们家乡的发展和美好未来共同担起责任。

吼势

一脸怒气，气势汹汹想吵架的样子。

寻"吼势"：一脸怒气，气势汹汹想吵架的样子。一般发生在受了委屈、受了批评，或者夫妻之间、同事之间发生了不愉快之后，也可能发生在钱物被偷盗、生意亏了本、考试没及格等情况下，心里憋着一口闷气，脸上自然表露出一股乖戾之气。这时候如果有人讲了几句他听了不落胃的话，他心中的怒气就会像火山一样爆发出来，情绪失控，歇斯底里，冲着你大喊大叫，严重的还会扑过来揍你，后果就不可收拾了。某人炒股，把自己的全部积蓄都扔进了股市，盼望着牛市能赚些钱。可牛市不再，他买的几只股票一路跌停，眼看着血本无归，心里又气又急，又无处发泄。恰好某一同事知道他在炒股，便好心问他赚还是亏，只听他大吼一声："赚你个头啊，我亏了你们开心了，我死了你们更开心了！"同事感到莫名其妙，只好悻悻地走了，这就是寻"吼势"。

寻"吼势"是一种非常糟糕的做法，不仅得罪人，而且也不能解决问题。所以，必须提高修养，受了委屈也罢，工作不顺心也罢，都能藏于心中，始终保持一颗平常心，千万不能动不动就对人寻"吼势"，否则伤己伤人，后患无穷。

[吼势]

阿林娘

> 一天到晚唠唠叨叨说个不停的人。

一天到晚唠唠叨叨说个不停的人,宁波人称之为"阿林娘"。"阿林娘"的出处我没有考证过,但宁波人对"阿林娘"是不喜欢的,一个人成天在你面前滔滔不绝,而且话里面还有埋怨、牢骚甚至粗口,绝大多数人是受不了的。一位邻居婆婆,到你家聊天,一坐就是半天,然后东家长西家短地说开了,说了别家说自家,唠叨自家的媳妇如何懒惰,如何爱打扮,如何贪吃,如何爱占小便宜,如何不孝敬公婆。总之,讲得媳妇一无是处,没法一起过了。主人家实在听不下去了,就说她:"倷咋会像阿林娘一样啦,当心拔倷媳妇听到,要造孽(吵架)类。"碰到这种人,的确是很头疼的。同样,如果夫妻之间有一人类似"阿林娘",成天在你耳边念叨,除非另一方修养好,否则吵架是难免的。

话多必失。夫妻之间,同事之间,一方有缺点,另一方给他指出来,这是必要的,但没必要反反复复十次二十次地讲,更没必要牵出其他事情一起讲,让对方反感。要经常讲反复讲的事情也有,如党的纪律、国家法律,这种党纪国法,就要不厌其烦地讲,让人入脑入心。

[阿林娘]

翻白

对不愿意去做的事，装没听到，装不明白。

"翻白"，又叫翻白颠倒、翻白泥螺。这句老话一定和鱼有关，多数鱼的肚皮是白色的，鱼临死或假死的时候，鱼肚往上翻，露出了肚白，宁波人叫"翻白"。这句话是说有些人出于偷懒或碰到了为难的事而不愿去做，于是听到了装没听到，明白了装不明白，懂装不懂，宁波人就说这个人"介翻白"。

翻白颠倒的人，脑子比较活络，但没什么责任心，考虑自己的得失比较多。对付"翻白"的办法就是当场戳穿他，把任务硬压给他，让他装不了。装"翻白"的人也要明白，你的心思别人是知道的，想装也装不了，还是要有担当意识，该做的事要去做，而且要做好。

蛇篓

> 把一些吃光用光、横竖横的人比喻成"脱底蛇篓"。

"蛇篓",是一种竹篾编织成的用于存放活物的农具,形状不一,有上圆下方、上圆下圆,但共同点是上小下大,脖颈细小,活物不易出逃,肚皮比较大,有利于盛放更多更大的动物,一般在捕蛇、捕黄鳝时使用。如果蛇篓脱底,放在里面的活物就逃走了。宁波人把一些吃光用光、横竖横的人比喻成"脱底蛇篓",而且骂人时把"脱底"两字也省了,说:"倷是蛇篓啊,钞票全部用光。"

一个人形成"蛇篓"性格,有主观原因,也有客观因素。"蛇篓"一般以男性居多,单身为主,家境比较贫困,也没什么文化,平时饥一顿饱一顿,一人温饱全家温饱,偶尔有几块钱就会没有节制,用了再说。这种人缺乏家庭和社会的关爱,是处在社会底层的人,需要大家予以关心,给予温暖。但无论怎么样,做人不能做"蛇篓"。

桥头老三

> 指对人指手画脚，什么事都要评论一番的人。

"桥头老三"，是指对人指手画脚，什么事都要评论一番的人。过去江南平原的村落基本上都是依水而建，村中村头都有桥，桥多数由石头建成，有台阶有护栏，只能走人不能行车。桥头是村民集聚的地方，大家在这里闲话聊天，交流信息。个别好事者便成了桥头常客，经常天南地北地胡侃，上讲玉皇大帝，下讲鸡毛蒜皮，远讲封神三国，近讲报纸新闻。我们小的时候，几乎每个夏天的晚上都带着一领草席，铺在桥板上，七八个小孩或坐或躺，一边乘凉，一边听几个"桥头老三"讲故事讲新闻。那时，这些"桥头老三"讲的内容也不出格，多是讲神仙鬼怪、皇帝宫女，也讲一些道听途说的时事新闻。我们小孩既爱听又怕听的是鬼怪故事。耳边听的是绘声绘色的鬼话，远处看的是乱坟岗里忽明忽暗幽蓝的鬼火，不禁让人毛骨悚然。"桥头老三"们也经常张家长李家短地议论别人，以搬弄是非、无事生非为乐。比如，某家娶了新媳妇，这些人会对新媳妇评头论足一番，说说漂亮还是丑陋，会不会生小孩等，然后会翻新媳妇娘家的老底，说新媳妇结婚前找过对象，说新媳妇娘家名声不好等等，反正添油加醋地说个痛快，全然不顾有没有伤害人家。

当今社会"桥头老三"型的人仍然不少，自己不干事，喜欢看热闹，人家做工作，他讲风凉话，热衷于传播小道消息，打听人家的隐私。这种人成事不足败事有余，要坚决打击之。

[桥头老二]

和消头

调停化解矛盾的人。

"和消头",就是和事佬,调停化解矛盾的人,相当于现在电视里推广的专为人家调解纠纷的老娘舅。村庄里邻里之间,家庭夫妻之间,父子之间,兄弟之间,总会发生一些矛盾,要有人从中调解,使之大事化小,小事化了,这种人就是"和消头"。

"和消头"不是每个人都可以做的,我觉得需要符合几个条件:一是德行好,自己没劣迹,能被人认同;二是辈分高,是德高望重,压得住阵脚;三是领导或有知识有修养的人。"和消头"也不好做,不但受委屈时要忍得住气,始终保持和颜悦色,而且讲话要公正公平、不偏不倚,还要有技巧,让矛盾双方都听得进促和的话而不反感。现在建设和谐社会需要千千万万个"和消头",依靠他们把矛盾消灭在萌芽状态,偃旗于基层,那么整个社会就和谐了。

[和消头]

巴结

指努力、勤奋。

宁波话中的"巴结",并非词典里解释的趋炎附势、极力奉承之意,而是指努力、勤奋。比如一个学生起早贪黑学习功课,老师会表扬他读书介"巴结";单位员工"白加黑""五加二"地工作,领导和同事也会赞扬他:"某某人事业心很强,工作交关巴结。"

干事"巴结",体现了一个人的事业心和进取心,是负责任的表现,在当今许多人追求物质享受,做事马马虎虎,不求有功但求无过的背景下,尤其要发扬"巴结"精神,埋头苦干,不计得失,一犁耕到头,这样我们的现代化事业才有希望。

顶头摸脚

指知道目的地在哪儿,就一门心思去哪儿。

"顶头摸脚",指知道目的地在哪儿,就一门心思去哪儿。比如,一个朋友送来一箱水蜜桃,讲好了放在某一个地方,叫他自己去拿。下班后,他就"顶头摸脚"去了,拿了桃子就回家。又比如,过去亲戚朋友之间借钱还钱,都是现金往来,没有现在的银行卡转账,借钱的数额也不大。借期到了,母亲把钱用纸包好,交给十几岁的儿子,叫他到亲戚家跑一趟。儿子走之前,做母亲的千叮咛万嘱咐:"阿毛,该是阿姆欠三阿叔的钞票,倷顶头摸脚到伊拉屋里去一趟,帮我还还掉,千定万定毛打横。"

"顶头摸脚"还有一门心思、心无旁骛、专心致志的意思。认准了目标,知道了路,尽管路不好走,也要"顶头摸脚"走下去。学习也好,工作也好,只要"顶头摸脚",就一定能成功。

老虎直头眼

> 引申到人身上,是说这个人不细心,对旁边的事情视而不见,只顾一头。

传说老虎的眼睛是一直往前看的,不会打转,看不到上下左右的东西。"老虎直头眼"引申到人身上,是说这个人不细心,对旁边的事情视而不见,只顾一头。比如,发现手机找不到了,这个手机原来就在他身边,他偏偏翻箱倒柜到处找,去问这个问那个有没有看到,结果人家给他一找,就在他自己的眼皮底下。这时人家就会说他:"㑊该宁老虎直头眼。"

"老虎直头眼"是粗心大意、精力不集中的一种表现。有这种毛病的人可能是性格使然,从小做事就大大咧咧、丢三落四的;也有可能是临时发生的,如心里想着其他事,手上却做着另外一件事,过了一会儿就把手头上做过的事忘了;或者全神贯注地做一件很重要的事,对周边的事就无暇顾及了。所以"老虎直头眼"并不是什么大的问题,在好多人身上都会发生。但人在社会中生活,有人与人之间的关系,有许多复杂的问题要处理,要解决的矛盾很多,所以要有综合协调能力,做事情要瞻前顾后,兼顾左右,不能单头冒进。

[老虎直头眼]

混混日脚过 苦苦阿狗大

> 这辈子没有什么追求了，唯一的愿望就是把自己的子女养大。

"混混日脚过，苦苦阿狗大"，是指这辈子没有什么追求了，唯一的愿望就是把自己的子女抚养大。这句老话，我觉得应该出自旧社会底层的工人和没有土地的农民，在温饱线上挣扎，辛辛苦苦、日夜操劳，却致富无门，幸福无望，对生活失去了信心和希望，于是发出了这样的感叹，但是他们还是觉得要尽到为父为母的责任，再苦再穷也要把小孩养大。这是一种无奈，一种对社会不公的呐喊。

如果把这句话放到当今社会来分析，就是一种非常消极的人生态度，没有理想，没有抱负，没有创业的冲动。越是抱着混日子的想法，就越会穷得一塌糊涂，小孩养得大但养不好，还是没尽到父母的责任。人生从来没有救世主，要过上幸福生活全靠自己，何况现在机会很多，只要肯努力，什么奇迹都可能发生。

[混混日脚过，苦苦阿狗人]

偻勾师

> 指外貌猥琐、獐头鼠目、坏点子很多、狡黠阴险的人。

"偻勾师",指外貌猥琐、獐头鼠目、坏点子很多、狡黠阴险的人,是一个贬义词。比如,一群人出去搞活动,大家热热闹闹,开开心心,其中有一人却一脸坏笑,朝大家眨眨眼,不知在暗示什么,搞得大家莫名其妙。过了一会儿,大家才发现某人的背上贴着一张纸条,上写:"我是小狗"。等当事人发现自己被耍,而且知道是谁干的时,就笑骂:"侬该偻勾师,作死啊。"于是大家都笑个不停。又比如,同事相处,本来关系融洽,无话不谈,可偏偏有一人喜欢散布小道消息,当听到某一同事的负面传闻时,不仅添油加醋说给当事人听,让他十分紧张,而且还给他出馊主意,让他去找某某人疏通疏通。其实他听到的消息纯属子虚乌有,当事人了解真相后,就埋怨他:"侬宁像偻勾师,闲话乱讲,我差点上当。"

做人要堂堂正正,充满阳光和浩然正气,不能玩阴招,那种损人又不利己的事坚决不能做。

灰箩扑出

表示晦气、倒霉的事接二连三，接踵而至。

　　装灰的箩倒翻了，满箩的灰铺天盖地，身在其中，人也变得灰头土脸。"灰箩扑出"表示晦气、倒霉的事接二连三，接踵而至。比如，某人早上去吃早点，小笼包子2元一个，花了20元应该有10个，但端上来只有8个，他觉得吃亏，又不好意思去争辩，心里就有气了。下午开车去玩，车子又被人家刮擦了一下，事故不大，只是划了一道痕，报警呢花时间，叫人家赔钱呢又赔不了多少，只能作罢。但心里郁闷得不得了，回到家，把今天发生的事说给老婆听，第一句话就是："今天我灰箩扑出，全部都是晦气的事体。"

　　阴晴圆缺，旦夕祸福，人间常事；晦气、幸运也是相伴相生的，如果大家看透了也就释怀了。偶尔碰到一两件不顺心的事，也不要与什么"灰箩扑出"挂钩，往好处想想就是了。

惗惗动

担心、牵挂、忐忑、放不下。

"惗惗动",是担心、牵挂、忐忑、放不下的意思。这个词用的范围比较广。比如,早上出门上班,家里门窗可能没有关好,怕小偷怕下雨,上班时心里一直"惗惗动";人家到你家做客,送了礼物,你没回礼,心里"惗惗动",总想找一个机会还上;朋友生病住院,过了一段时间没去探望,心里也是"惗惗动";工作上今天有一件事耽搁了,担心明天误了事,晚上心里也一直"惗惗动"。

心里会"惗惗动"的人,至少是一个有情有义、有责任心的人,对人能以礼相待,对工作认真积极。这样的人可交可用。

铁丝克箩

比喻这个人小气，只进不出。

"铁丝克箩"，指铁丝编织的口小肚大的箩筐，东西放进去以后一般不容易倒出来。比喻这个人小气，只进不出。比如，几个人凑份子吃饭，别人都拿出了钱，只有一个人找借口不出钱，然而饭照样吃，而且吃得比别人还多，没吃完的菜还要打包拿回家。这时候大家就会说：这个人怎么这样啊，像"铁丝克箩"一样。政府发展地方经济也一样，要吸引企业进来，就要创造良好的发展环境，制定优惠政策，让企业有利可图。如果是一个小气政府，对企业一毛不拔，甚至对企业的承诺不兑现，还要挖空心思揩企业的油，那么用不了多久，企业就跑光了，发展也就成了一句空话。

做人要大气，斤斤计较、只进不出，只考虑自身利益，说话不算数的人，很难有真心的朋友。人家可能会因为你的地位、职务，表面上对你客客气气，但久而久之，你就成了孤家寡人。当然，对人付出了，也不能一心想着要有回报，一本万利的想法是要不得的。

拗孟公

这是宁波慈城一带形容性格怪僻，专门与人对着干的人的专用词。

"拗孟公"，这是宁波慈城一带形容性格怪僻，专门与人对着干的人的专用词。说起来，这话还有一个真实的故事：旧时宁波慈城有一对父子，儿子小名叫拗孟，不知受了什么刺激，从小与老子作对，老子说往东他偏往西，老子干活他睡觉，老子难受他开心，反正就是与你对着干。老子临死前，考虑后事，心里希望埋在山上，但考虑到儿子一直与他对着干，于是故意说："我死后你要把我葬在水里。"结果，儿子想，我和父亲一辈子对着干，如今他死了，就满足一次他的愿望吧，于是真的把他老子葬在了水里。至今，宁波慈湖中学前的慈湖里仍有水中坟的遗迹，这就是"拗孟公"父亲之墓。从此以后，人们就把这种不听话，专门抬杠的人称作"拗孟公"。

性格"拗"的人，脾气暴躁，不合群，处理不好人际关系，很难得到别人的信任。所以有这种毛病的人一定要好好反思一下，从自己身上找找原因，认真改一改。

[拗孟公]

带鱼吃肚皮 闲话讲道理

> 指一个人讲话有理有据,人家就爱听。

东海野生带鱼,有清蒸、红烧、油煎等各种烧法,不管怎么做,最好吃的部位都是肚皮。所以说吃带鱼要吃肚皮。

"带鱼吃肚皮"延伸到"闲话讲道理",就是说一个人讲话有理有据,占着理儿,能说服人,人家爱听,就像喜欢吃带鱼肚皮一样,喜欢听你的话。

有些人为了达到某种目的常常无理取闹,有些人还会制造歪理邪说,迷惑大众。但人们相信的是真理、法理,无理取闹也好,歪理邪说也好,可能会得逞一时,但在真理和法理面前终归是要失败的。

脚高脚低

> 说话不注意场合，不顾及别人的感受，有时不着边际，有时语言伤人。

"脚高脚低"，不是说路凹凸不平，也不是脚有毛病，而是说某人脑子有毛病，说话不注意场合，不顾及别人的感受，有时不着边际，有时语言伤人，让人哭笑不得。

比如，女同学中，老公有当官的，有做老板的，也有做一般职员的，这都很正常。聚会时，本来同学就是同学，没有上下高低之分。但偏偏有个别人心里不平衡，开始说一些不伦不类的话："㑚老公介厉害啊，官当得介大，㑚家里是有财有势，阿拉小老百姓是没办法比的。"或者是："㑚家里是老板了，钞票是几生几世都用不完了。"听了她的话，做官的、做老板的夫人就不落胃了，说她："侬宁讲闲话咋脚高脚低啦，阿拉老公当官、做老板也是自家努力出来的，也没搞歪门邪道，也不是贪官污吏，侬闲话讲得太难听了。"

所以，"脚高脚低"的人是会被人看轻的，而且很难与人合群。有这种毛病的人要调整好心态，注意说话的分寸。

狗皮倒灶

> 指小气,只看到眼前的蝇头小利,贪小便宜。

"狗皮倒灶",指小气,只看到眼前的蝇头小利,贪小便宜。到菜市场买菜,称好分量后,又偷偷地加上几棵,这时,摊主就会嘀咕一句:"倷该宁介狗皮倒灶,称也称好了,还要占我便宜。"脸上是鄙夷的神色。

对"狗皮倒灶"的人,宁波人有两种看法:一种是对做生意或者平时十分重视勤俭节约的人,有些"狗皮倒灶",大家认为这是财富积累的手段,体现了一种传统美德,不能责怪,而且还会教育子女说:"看看隔壁,虽然狗皮倒灶,但人家会打算,日子过得多好,哪像你们大手大脚的,家里的钱都给你们败光了。"另一种看法是,对经常贪小便宜,损害别人利益的人,是看不起的,有防备之心,会提醒大家离这种人远点,会说:"这个人太狗皮倒灶,交关难凑对(交朋友),你们当心点。"

总之,做人该小气时要小气,该大气时也要大气,不能经常"狗皮倒灶",否则会失去朋友,生意也不一定做得大。

[狗皮倒灶]

三岁打娘娘会笑 廿岁打娘娘上吊

> 出现这种情况，不仅是家庭的悲剧、个人的悲剧，更是社会的悲剧，应当认真反思之。

"三岁打娘娘会笑，廿岁打娘娘上吊"，这句话很容易理解。小时候娘抱儿在怀里，儿子用胖乎乎肉嘟嘟的小手在娘身上乱打乱搡，娘会觉得儿子活泼可爱，小手打在身上酥酥麻麻的，很开心很受用。20岁的儿子如果挥起拳头打老娘，娘那种伤心绝望就无法用言语来表达了，可能连想死的心都有了。

那么不禁要问一个问题：从3岁到20岁，是什么原因使这个小孩变成了一个不肖之子，成了连娘都要打的小霸王？是谁的责任？娘肯定有责任，或许平时太纵容、护短、"咬奶头"；爹更有责任，养不教父之过，为父的没教没管；社会也有责任，传统文化教育、德育教育、法制教育都没到位。出现这种情况，不仅是家庭的悲剧、个人的悲剧，更是社会的悲剧，应当认真反思之。

[三岁打娘娘会笑，廿岁打娘娘上吊]

推扳

> 不好、不够朋友的意思，是一种程度较轻的责备。

"推扳"，是不好、不够朋友的意思，是一种程度较轻的责备。比如，一个朋友请你帮忙办一件私事，凭你的能力是能够办成的，但你没用心办，结果事情没办成，这个朋友就会埋怨你：我们算起来还是好朋友，这点忙也不肯帮，介"推扳"。又如你和朋友们一起参加别人的婚礼，坐了一会儿，你想走了，主人又忙，你也不和朋友们打声招呼就悄悄溜了。事后朋友会说："倷宁介推扳，也不说声就走了，要走一起走。"还有技艺不好水平低，宁波人也会说"推扳"，如打乒乓球，人家问你打得怎么样，你会很谦虚地说："我交关推扳，打不好打不好。"走象棋、打扑克，甚至写文章、作画、写书法，都可以自谦地说，我交关"推扳"。自己衡量自己的时候，把自己评估得低点，讲自己蛮"推扳"，是一种虚心，一种姿态，值得提倡。但为人家做事，给别人帮忙，就要尽力而为，不要做"推扳"之人。

犯关

一指非常，二指担忧，三指责备，四指惋惜。

"犯关"，这个词用在不同地方，含义各不相同。我知道的至少有四种：一是"非常"的意思，表示一种程度。如，这个人"犯关"好，这幅画"犯关"赞，这碗下饭"犯关"好吃。二是预计有问题，要出错，表示一种担忧。如，这件事情做成这样子，你要"犯关"的类；"犯关"类，"犯关"类，上班要迟到了；利润一直上不去，企业要"犯关"了。三是轻度的批评，表示一种责备。如，侬宁真正"犯关"，洗碗也洗不来，好好的一只碗敲敲破，做事体弗会小心点。四是惋惜，表示一种调侃和无奈。如，"犯关犯关真犯关，宣统皇帝坐牢监"。所以，除了第一种意思外，少一些"犯关"最好。

弄送

指使坏、捉弄人、害人、背后讲坏话。

"弄送",指使坏、捉弄人、害人、背后讲坏话。如单位同事,平时表面上大家关系很好,无话不说,但当有人要被提拔时,背后就有人说坏话,而且说的是鸡毛蒜皮甚至无中生有的事,让组织上对这个人疑惑起来,提拔或许就泡汤了。这就是"弄送"人了。又比如,要办一个证明,按要求带了应带的资料,到一个窗口后,工作人员说,你还缺一份资料,不能办,当事人只好回去补。第二次又去,工作人员说,还不行,还缺一份资料,这个证明不能开。不一次性给人家讲清楚,而是叫当事人三番五次地跑,这就是"弄送"人。

要"弄送"人的人,心理比较阴暗,心机比较重,总想着算计别人,是十足的小人。一个单位有这种人,可能这个单位会被搞得乌烟瘴气。对付这种人,除了自己要正气,不给人可乘之机外,还要多观察。日久见人心,"弄送"人的人最终还是会暴露的,所以做人千万别"弄送"人。

[买送]

千人条

> 讽刺某人可以长久活下去,千年万年。

"千人条",不是指人的数量,而是讽刺某人可以长久活下去,千年万年。

一个人贪财,财富已经积累了很多,几辈子也吃用不完,还不肯松手,还挖空心思地敛财。人家就会说他:"这个人想做千人条,要介许多钞票有啥用?"一个人尖刻,什么好处都想占,任何情况下都不肯让人,背地里还要"弄送"人,与他共事过的人就会说:有此人在,我们都不用活了,让其做千人条好了。

钱财是好东西,但必须取之有道,决不能以歪门邪道谋之;钱财又是身外之物,适可而止就行了。做人做事要宽容,前半夜想想自己,后半夜想想别人,自己活得好,要让别人也活得舒服,千万别去做"千人条"。

绿壳

> 凶神恶煞的坏胚子。

"绿壳",指凶神恶煞的坏胚子。明朝时期,东南沿海倭患猖獗,百姓深受其害。倭贼一般盘踞海岛,所乘之船统一漆成绿色,船头两侧画上两只突灵灵的眼睛,百姓称之为绿壳船。倭贼所到之处,杀人放火,抢劫财物,奸淫妇女,老百姓恨之入骨,但又怕得要命,远远看到海面上有绿壳船驰来,望风的人便大声疾呼:"绿壳来了!绿壳来了!"村民听到后急急忙忙关门落锁,逃命去也。"绿壳"这个名字也一直流传至今。

现在人们看到一些凶巴巴的人或者吵架时眼睛圆瞪、凶相毕露的人,便称之为"绿壳",也有说:"侬眼睛像绿壳一样,想杀人啊?我是不怕你的。"如果你被人家骂为"绿壳",那是很大的污辱。可也要反思一下吵架时你有没有"绿壳"的行为和"绿壳"的表情。做人绝对不能有一点点"绿壳"的习气。

眼大吙光 蛋大吙黄

外表相貌堂堂，英俊潇洒，但没有内涵。

"眼大吙光，蛋大吙黄"按字面理解，就是此人眼睛长得很大，但眼神却痴痴呆呆的，就好比很大的鸡蛋鸭蛋，里面却没有蛋黄。说的是这个人外表相貌堂堂，英俊潇洒，但没有内涵，双眼表现出空洞虚无，与人对话无文化无知识，一问三不知，好像是绣花枕头烂草包。就像《红楼梦》里描写贾宝玉：生得一副好皮囊，腹内原来草莽。

这种眼大吙光的人，要么是先天智力迟钝，要么是后天修养不足，读书不肯用功，沉湎于吃喝玩乐，不求进取，只是混混日子。这样的人必须加强学习，汲取知识，增加内涵，只有把知识内化于心，才能表现出深度和厚度。

［眼大吭光，蛋大吭黄］

乌鳢鱼打桩

> 指那些头脑聪明,心里有追求有欲望而平时低调做事、韬光养晦的人。

乌鳢鱼俗称黑鱼,是一种淡水深水鱼,食肉,吃小鱼小虾,比较威猛,体色很黑,与河泥差不多。冬天农民抽干河水捕鱼,那是很残酷的,反正大鱼小鱼、虾兵蟹将一网打尽。乌鳢鱼为了求生存,只得装死,一动不动钻在烂泥里,像一根桩头,让人分不清是鱼还是泥,希望可以逃过人们的捕食。这就是"乌鳢鱼打桩"。

宁波人把这种现象引申到为人处世,把那些头脑聪明,心里有追求有欲望而平时低调做事、韬光养晦的人称作"乌鳢鱼打桩"。低调做人是美德,但往往有些人把其作为遇到挫折、碰到困难时的临时荫庇措施,一旦气候适宜、条件成熟,就变得张狂起来,张口咬人,打击报复,到这个时候,祸害就大了。

弗长毛

> 是对故意做坏事或故意把事情做坏等行为的一种谴责。

"弗长毛"或称"弗涨网",是对故意做坏事或故意把事情做坏等行为的一种谴责。比如,某人心血来潮,想寻开心,故意在路中央放上一块石头,想看看司机会不会把车开上去,给司机难堪;小孩子被父母逼着学小提琴,其实心中厌烦,不想学,就故意把琴弦弄断;单位里领导叫你写材料,心里不愿写,故意拖延时间,并且写得一塌糊涂,让别人无法改也没时间改。对这些故意使坏的行为,宁波人会骂上一句:"该宁介弗长毛。"

做"弗长毛"的事情,损人不利己,而且会失去朋友和同事的信任,严重的还可能会承担法律责任,所以做人千万不要"弗长毛"。

拷瓦爿

指凑份子,大家出钱去吃一顿。

"拷瓦爿",指凑份子,大家一起出钱去吃一顿。我也不知道"拷瓦爿"怎么会引申为凑份子,可能是过去干重活的人,休息时想赌钱或想打牙祭,捡起地上的碎瓦爿敲打敲打,发出声音,把工友们召集到一块儿,或赌博或让大家凑钱下馆子,这样就把"拷瓦爿"这个词流传下来了。

"拷瓦爿",一般来说各人出钱的数目是相同的,当然也可以不同,谁手头宽裕,为人大方就多出点。还有一种办法:由一人牵头,先计划好晚上吃饭的人数和大约的支出,然后把预算分解成相应的、数量不等的金额写在纸上,金额下面画一条直线,然后把写金额的一端折起来,让人只看见那条线,线下面是各人的签名,签名的线上相应的金额是多少就缴多少,大家都没意见。"拷瓦爿"不失为同事之间增进感情的一种途径,但只可偶尔为之,而且聚会时间、地点要选择好,否则违反党纪政纪就不好了。

[拷瓦爿]

一头纱筛一头磨

> 挑担子最好是两头同样重,如果一头轻一头重就难以平衡,甚至无法担起来。

"一头纱筛一头磨",指挑担子最好是两头同样重,如果一头轻一头重就难以平衡,甚至无法担起来。纱筛很轻,磨重得不得了,两头一轻一重,就无法干活了。

这句话告诉我们平衡很重要。国家之间有军事平衡,如美国和俄罗斯,尽管美国比较强势,但至少俄罗斯在核打击上与美国相对平衡,所以两国打不起来。美国与伊拉克就不平衡了,美国好像一头狮子,伊拉克是一只兔子,兔子与狮子怎么打?所以美国打伊拉克就像"拷脆瓜"一样,一碰就碎了。一个国家内部发展也要讲究平衡发展,城市发展了不能忘记农村,东部发展快了不能忘记发展慢的西部,最终实现共同富裕。一个做领导的,对单位工作的安排也不能畸轻畸重。毛主席说要学会弹钢琴,邓小平说要两手抓两手硬,就是这个道理。

[一头纱筛一头磨]

嚼麦糕

> 图一时的快感，不负责任地背后议论人，或无中生有、夸大其词。

"嚼麦糕"，麦糕指麦面做的糕点，"嚼麦糕"就是吃麦面做的糕点，吃起来软软爽爽的，很舒服很容易。引申为图一时的快感，不负责任地背后议论人，或无中生有、夸大其词，漫无边际地说到哪里算哪里。比如，几个人一起聊天，议论到某个人时，说这个人因为贪污受贿，被人举报，前几天被"双规"了。这时知道真相的人说："你不要嚼麦糕了，这个人好好地在上班，昨天我还碰到过，而且这个人很正直，不晓得是谁在造谣。"

"嚼麦糕"是一种坏品行，是对他人的不负责任，会歪曲事情的真相，败坏人的名声，挑起是非争端，因此，一个正直的人是不会"嚼麦糕"的。对别有用心的人"嚼麦糕"，大家要阻止他，当场揭穿他，使他没有市场。

讲讲神仙阿伯 做做死蟹一只

貌似水平很高的人，其实是高分低能。

"讲讲神仙阿伯，做做死蟹一只"：说的是这个人口才很好，讲起来口若悬河，滔滔不绝，眉飞色舞，头头是道。人家对他的印象是理论水平高，知识面广，是个人才。但是叫他去做实际工作，他就没招了，好像死螃蟹一只，不会动了，什么事情都干不了。相似的说法叫："看看档案人才难得，调来用用哭笑不得。"这种貌似水平很高的人，其实是高分低能，如果当事人自己觉得很了不起，自视很高的话，那就无可救药了。如果这个人能正确认识自我，抱着谦虚的态度，加强实践锻炼，多做一些实际工作，就会很快成长起来，而且会比只有实践经验而缺少理论修养的人干得更出色。

鬼戳边

形容鬼鬼祟祟,说话咬耳朵,做事藏着掖着,搞阴谋诡计。

"鬼戳边":形容鬼鬼祟祟,说话咬耳朵,做事藏着掖着,搞阴谋诡计。比如,本来可以光明正大说的话,偏偏要躲到角落去悄悄地说;工作时间在办公室玩手机游戏,又怕被人发现,把手机放在办公桌下玩,发现有人进来了,便手忙脚乱地把手机关了,并装作认真工作的样子。讲别人坏话也是如此,拉上一个人,装作很亲热,在人家耳朵边用其他人听不见的声音说上半天。还有一种情况,通过不正当手段得到了一件很喜欢的物件,会爱不释手反复把玩,又怕被人看到,听到门口有脚步声,便会慌慌忙忙地东藏西藏。看到这种情景,宁波人就会说:"侬该宁,鬼戳边一样,拿出来让阿拉看看嘛。"做人要光明正大,对人要真诚,有话最好放到台面上说;不义之财不可取,不良欲望要节制,不要做"鬼戳边"的事。

[鬼戳边]

好日黄干

> 引申到人身上,是说这个人喜欢凑热闹,是人来疯。

"好日黄干":好日,指办婚礼、寿筵、满月酒等喜庆的日子;黄干,就是黄狗。一户人家办喜事,会来好多客人,筵席也可能有十桌二十桌之多。这时不但主人忙,主人家的狗也忙,从这桌钻到那桌,在客人的腿间钻来钻去,寻找肉骨头之类的食物,以饱口福。这时的狗,宁波人称为"好日黄干"。

这个词引申到人身上,是说这个人喜欢凑热闹,是人来疯,越是人多越想表演一番,唯恐人家冷落他,忘记他,什么事情都去插上一脚,一会儿与这人搭讪几句,一会儿又跑到众目睽睽的地方亮亮相。旁人看不惯,就会骂他:"侬宁介闹热,像好日黄干一样,不会安静一点啊?"

[好日黄干]

八分形过

干事情做工作不要做到十分,做八分就行了。

"八分形过",指干事情做工作不要做到十分,做八分就行了。这句老话很能体现宁波人为人低调、留有余地的处世风格。满则溢,任何事情都做到十分,一是确实做不到,二是即使做到了也可能产生负面影响,比如遭人忌恨,比如鞭打快牛等,都是很可怕的。最近股市升温,如果你参与其中,一定会追求低进高抛,买入后你心里肯定企盼着这只股票能涨得高一点,涨一两个点你是不会抛的,最好涨停再抛。殊不知股市有风险,或许风云突变,一下子变成跌停,这时候你会懊悔不迭,为什么我早点不抛呢?所以,宁波人说"八分形过"最好,有点赚到了,就应该收手了。一个单位,如果你工作最出色,什么事都拿得起干得好,什么人都比不上你,那你或许会成为众矢之的,你的工作会越来越忙,压力会越来越大,你可能会觉得很烦恼。如果你做事"八分形过",各方面的效果反而更好。从这些方面理解,"八分形过"可以规避风险,可以明哲保身,不失为为人处世的好办法。

其实,对待工作一定要各尽所能、全心全意。如果每个人都"八分形过",也就是:$0.8 \times 0.8 \times \cdots$,n个0.8,那这个单位的工作就可能归零,那么后果就很严重了。

戳壁脚

指出人家洋相。

"戳壁脚",指出人家洋相,把别人不想说出来的真相或想隐瞒的事情说给别人听,是很伤人面子的做法。比如一个人在叙述一件他经手的事情,这件事的过程有些波折,但最后取得了成功,这个人在其中发挥了一定作用,但这个作用是次要的,而他在讲述过程中有意无意地拔高自己的位置。你呢,比较了解事情的整个过程,听了他讲的话,觉得与事实有出入,便心直口快地把真相说了出来,可想而知,对方会很尴尬。又如别人做了一件不光彩的事,本来以为没人知道,结果你知道了,而且把这件事在大庭广众下说了,害得人家没了面子,这就是"戳壁脚"。一个人做了错事,特别是生活小事,只要无伤大雅,还是不戳穿为好。

对折拦腰掼 零头捋捋翻

指做买卖时双方讨价还价，买主要求打对折，然后把零头也去掉。

"对折拦腰掼，零头捋捋翻"，指做买卖时双方讨价还价，买主要求打对折，然后把零头也去掉。"拦腰"是中间的意思，"捋"意思是抹平。生意场上就某些商品的交易，买卖双方肯定有一个谈判砍价的过程，买主希望越低越好，卖家的底线是不能亏损，而且有一定的利润，否则就谈不拢了。于是你来我往，几个回合下来，直到双方都能接受，买卖才成交。

"对折拦腰掼，零头捋捋翻"是双方谈价过程中一种形象的说法，这个要求基本上是买方提出来的，卖方肯定还要往上提拉一下，也有可能卖方觉得没亏，或者期望以后还有生意光顾，就同意了。做生意既要算大账，也要算小账，但小账要服从大账，如果对长远发展有利，就不要锱铢必较了。

［对折拦腰掼，零头捋捋翻］

屙道头

> 大家都想躲开的人，或没人理睬的人。

"屙道头"，指像粪便一样臭，大家都想躲开的人，或没人理睬的人。有这么几种原因会产生"屙道头"：一是性格孤僻，不喜欢与人打交道，独来独往，孤芳自赏，自娱自乐；二是人际关系差，几乎与周边的人都吵过架，没人想理他；三是爱打小报告，爱惹是生非，大家都敬而远之避着他；四是到一个陌生的地方工作，语言不通，人生地不熟，性格也不是很开朗，无法融入新的环境。

产生"屙道头"现象有客观因素，更主要的是主观因素，包括人的性格，为人处世的风格，心态的开放程度等。其实被人家称作"屙道头"是很难受的，长此以往会演变成精神上的疾病，比如抑郁症之类的，所以要改改才好，尽量使自己开朗起来，快乐起来，尽快融入组织，融入社会。

[屙道头]

心望弗定 起课算命

指不知该怎么做或心里很惶恐,于是求助于神灵,卜卦测字,看凶吉问前程。

"心望弗定,起课算命",指心里犹犹豫豫,不知该怎么做;或者担心有什么不吉利的事情发生,又不知道会发生什么,心里很惶恐。于是求助于神灵,找算命先生卜个卦、测个字,看看凶吉如何,问问前程怎样。如果是个吉卦,心就会安定下来,对碰到的问题也会信心十足地应对;如果是凶卦,就可能几天几夜寝食不安,直到事情过去了才会松口气。过去家里老公或子女出门在外,由于通讯不畅,几个月没有音讯,女主人又是担心又是无奈,心里非常忐忑。为了排解心中的不安,女主人会在家里设一佛堂,上面供着观音菩萨,每天在菩萨面前烧香念佛,祈祷亲人平安无事,早日回家。亲人外出,家人心望弗定,心里"悾悾动",是爱的体现,是亲情的自然流露,也是做丈夫、做儿子的工作动力和力量源泉,值得好好珍惜,但占卜算命是否有效就难说了。

[心望弗定，起课算命]

螺蛳壳里做道场

> 在非常狭小的空间里只能做一些小打小闹的事情。

"螺蛳壳里做道场"：蛳螺就是螺蛳，宁波人倒过来念，"螺蛳壳"比喻空间狭小；"道场"就是过去道士们举办的法会，是道教的一种仪式，参加的人数众多。这句话的意思是，在非常狭小的空间里只能做一些小打小闹的事情，要想搞大活动是不行的。

实际工作中经常会碰到这种情况，如招商引资引进了大项目，要几百亩上千亩土地，但实际上可供的土地只有几十亩。这时主管项目的人就会说："螺蛳壳里做道场，介点点土地咋弄弄？"有时人们也会用这句话来表达内心的自豪。如一个面积很小的地方，但资金密集、产业密集，单位产出很高。人家赞扬他们的时候，当地的领导和百姓就会笑着说，我们是"螺蛳壳里做道场"，小打小闹。无论是举办活动还是发展经济，空间资源丰富是十分有利的条件，否则会受到制约。但更要讲究节约利用，把"螺蛳壳"用足用好，最大限度地提高单位产出率。

跟老虎吃肉 跟黄狗吃屙

一个地方一个部门的工作如何、发展快慢取决于领导班子和领导者个体的思路、决策和决心。

"跟老虎吃肉，跟黄狗吃屙"，说的是领导人的重要性。一个有作为的领导，其治下的地方或部门，生气勃勃，蒸蒸日上，老百姓收入高，这就是跟着老虎吃肉了。相反，领导无德无能，发展无方，辖内民生凋敝，社会乌烟瘴气，百姓怨声载道，这就是跟黄狗吃屙了。

火车跑得快，全靠车头带。从某种程度上讲，一个地方一个部门的工作如何、发展快慢取决于领导班子和领导者的思路、决策和决心。焦裕禄做兰考县县委书记，可以迅速改变当地贫穷落后的面貌；万里任安徽省省委书记，总结小岗村经验，在全省推广包产到户，打响农村改革第一炮，激发农民积极性，解决农民温饱问题，时人说"要吃面找万里"。所以，组织上选人用人很重要，要把德才兼备，想干事能干事干得成事的人提拔上来；群众监督很重要，要把贪官庸官懒官赶下台；干部自身更重要，做一个心系百姓，逢河搭桥、逢山开路的好官，那么老百姓就有肉吃了。

鬼打墙

> 被鬼迷住了,绕来绕去,还是回到原点,好像被打了一堵墙一样。

"鬼",宁波人读"句"音。"鬼打墙"说的是走路、开车,被鬼迷住了,绕来绕去,还是回到原点,好像被打了一堵墙一样,很诡异。

下面是网络上的一个消息,可以说明什么是"鬼打墙":"几年前,我认识的一个客户给我讲了一段他的亲身经历。他们公司在北京十三陵附近的一个度假村召开公司年会,会期三天。会议的第二天下午,他和另外两个朋友临时回市区办点事。等到办完事往回赶,快到度假村时,天已经接近傍晚了。车里三个人一路闲聊,其中一个人就突然感慨起来:这地底下,不知埋了多少漂亮的宫女,年纪轻轻的就殉葬了,真可惜啊!要是能弄几个上来陪陪咱们就好了!说完大家都笑了,各种联想与意淫。但笑着笑着,几个人都不笑了,脸上都呈现出惊骇的神色来。车开了半天,他们发现竟然又回到了原地,本该十分钟就可以开过的路段,却鬼使神差地一次又一次在原地打圈。在焦虑和胆战心惊中,他们继续加速往前面开。从傍晚开到天黑,还是开不出去,总是又回到刚才经过的地方。他们这才意识到遇上'鬼打墙'了。几个人后来醒悟过来,把车停在路边,跳下车来,点燃了三根香烟当作香,冲着十三陵的方向,一边磕头,一边道歉。做完这番仪式后他们回到车里,再开,五分钟就回到了度假村!"

这个小故事虽然有点儿迷信色彩,但基本说清了"鬼打墙"是怎么回事。

其实"鬼打墙"就是迷路,只要保持心态平稳,动些脑筋是可以走出来的。比如,停下来抽根烟壮壮胆;大叫几声,示示威,只要心中没鬼就不怕鬼,鬼打的墙自然而然就破解了。

腻腥

> 指脏兮兮、龌龊、邋遢的样子。

"腻腥",指脏兮兮、龌龊、邋遢的样子。"腻腥"的使用范围很广,可对人、对事、对地方。比如,说这个人衣服很脏,就说:"倷衣裳介腻腥啦。"商场、宾馆、饭店如果脏兮兮的,宁波人会说:"弄得介腻腥,以后这地方不来了。"一个平时规矩本分的人,忽然有一天找小姐嫖娼,被警察抓个现行,又是罚款又是被拘留,消息渐渐地扩散开来,成为一段时间内人家茶余饭后的笑料,认识他的人就会说:"我们都觉得这人蛮老实的,想不到他会做出介腻腥的事体来。"

"腻腥"既是一种表象,也反映内心修为的缺失。人活在世上,文化程度有高低,收入水平有差距,社会地位有高低,这都很正常,但无论是谁,千万不要与"腻腥"沾边。比如衣着要整洁干净,家里要清洁卫生,说话不要爆"粗口",做事要光明磊落。总之,就是要做文明人,办文明事。

[腻腥]

祟气

> 对朋友、熟人一种亲昵的责备、嗔怪。

"祟气",是宁波人对朋友、熟人一种亲昵的责备、嗔怪。如果当面说你"祟气",绝对没有恶意,只会让人觉得亲切随和。比如,一对感情非常好的异姓姐妹,一个到另一个家串门,买了水果之类的礼品送给自己的好姐妹,这时候,主人家的就会半嗔半怪地说:"侬该宁介祟气,到阿拉屋里来还要买东西,当我啥人啦。"埋怨归埋怨,亲昵归亲昵,话说完,两人便勾肩搭背地聊了个热火朝天。如果在背后议论人,讲这个人"祟气"时,那就可能是对这个人有成见了。如对某人看不惯,会说:"这个人讲闲话嗲声嗲气,专门拍马屁,太祟气类,以后少睬睬其。"宁波人用这个词已经约定俗成,一般都能把握好尺度,如果仅仅是在宁波生活了几年又想学讲宁波话的人,要用这个词可得注意把握分寸。

看勒其屙撒出

> 预感到要发生什么不好的事情,却已经没有任何办法加以阻止,只能眼睁睁看着坏结果发生。

"看勒其屙撒出",是一句非常形象的话,直白地解释就是,小孩子睡在床上,大人知道他马上要拉屎了,连忙把他抱起来,让他上卫生间,可已经来不及了,结果看着他拉在床上。引申为预感到要发生什么不好的事情,却已经没有任何办法加以阻止,只能眼睁睁看着坏结果发生。比如说,某个村庄依山而建,山上植被丰富,溪流淙淙,小山村景色宜人,老百姓安居乐业。可天有不测风云,某一年一场台风带来暴雨如注,而且几天几夜下个不停。村里干部预感到可能会山洪暴发,可几次巡查都没发现迹象,也没组织村民转移。就在大家觉得没事的时候,突然有人发现几棵大树倒了,山坡上一大块山皮正往下滑。这时正好是深夜,村干部拼命呼喊也无济于事,眼睁睁看着几幢民房被泥石流吞没了,不禁泪流满面,悲痛异常。这就是"看勒其屙撒出"。古人说"预则立,不预则废",说明预防十分有必要,可以有效避免事故和灾害的发生,或减轻灾害带来的损失。

拖油瓶

指再婚的家庭,女方或男方带了一个小孩过来。

再婚的家庭,女方或男方带了一个小孩过来,这个小孩就被叫作"拖油瓶"。"拖油瓶"多指女方带过来的小孩。拖,就是随身携带;油瓶,是居家生活不能缺少的。对母亲来说,自己的小孩是宝贝是命根子,是须臾不能离开的,所以再嫁的时候是一定要带过去的,体现了深深的母爱。作为一个女人,离婚或丧偶,本来已经很痛苦了,迫不得已而改嫁,是值得同情的,本不应取笑,更不能看不起她的儿女。可是就有一些人包括她第二任丈夫的家人,认为儿女不是亲生的,不正宗,看不起人家,歧视人家,甚至虐待人家,把人家搞得生不如死,如奴隶一般,实在是作孽啊。当今社会,自由平等已经成为共识,也是共同的价值观,希望重组家庭的,夫妻和睦,子女幸福。

[拖油瓶]

老酒糯米做 吃落闲话多

酒后闲话多。

"老酒糯米做,吃落闲话多",指酒后因酒精刺激中枢神经,让人变得兴奋,平常不会表现出来的一些情感、行为,借着酒劲不由自主地表现出来了,不该说、不想说的话也会脱口而出,这就是酒后闲话多。

酒这个东西是好是坏真的很难评价。说它好,古今中外唱赞歌的有的是:什么"对酒当歌,人生几何",什么"古来圣贤皆寂寞,惟有饮者留其名",等等。为了调节气氛,酒又被人们赋予了喜庆的意义,如将士出征前的壮行酒,喜庆日子的祝贺酒、欢乐酒,结婚仪式上的婚宴酒,祝寿时的生日酒,小孩子的满月酒,考上大学时的谢师酒,人类进入文明社会后从没离开过酒。说它坏呢,话也很多。酒后失言是大忌,酒后乱性会坏事,酒后发疯打相打,酒后驾车要犯法,酒醉呕吐很伤身。媒体曾经有报道,某个地方领导要下属陪客人喝酒,几斤白酒下去,结果这下属当场死亡。所以,喝酒要注意分寸,适量适度为好,千万别喝多喝醉了。即使因为客观原因喝多了,也一定要控制好自己,不能有出格的话语和行为。

[老酒糯米做，吃落闲话多]

恶宁园臭食

> 一是暴殄天物。二是缺乏爱心、同情心。

"恶宁园臭食"：恶宁，就是可恶之人，恶毒之人；园，藏起来。这句话很容易理解，就是可恶之人，尽管家里有许多好吃的东西，自己也享用不完，但就是不肯拿出来送给吃不饱的人，宁可让其发霉变臭。"恶宁园臭食"，一是暴殄天物。谁知盘中餐，粒粒皆辛苦。把好好的食物放到变质发臭，是非常不道德的。二是缺乏爱心、同情心。朱门酒肉臭，路有冻死骨。把自己吃不了的送给吃不饱的穷人，总比让它烂掉要好吧，帮贫济困是积德的事情。

讲到这，想起了一个故事：古代有一大户人家，穿的是绸缎绫罗，吃的是山珍海味，家里丫鬟佣人成群，一天的开销成千上万。但旁边住着许多吃不饱饭的穷人，不少穷人会去捡大户人家扔掉的东西吃。斗转星移，想不到这大户人家突然间出了事，偌大的家业一夜之间就没了，家人流落街头，以乞讨为生。真是"金满床笏满床，转眼间乞丐遭人谤"。有一天，原大户人家的当家人，到一户人家乞讨，主人热情地把他请进屋里，端出一碗米饭让他吃，这人狼吞虎咽，一下子就吃完了，觉得这碗饭比以前吃过的山珍海味更好吃。这时候主人说话了：这碗饭是当初你们家洗碗的时候从水槽里流出来的饭粒，我们每天捡起来，晒干了，当宝贝一样藏起来，是好东西啊。这一番话说得这个要饭的羞愧难当，悔不当初。

丫轻骨头

指贱骨头，主动亲近、主动迎合的意思。

"丫轻骨头"，指贱骨头，主动亲近、主动迎合的意思。比如在婆媳关系中，婆婆为了讨好媳妇，把本来应该由媳妇做的事情都做了，给媳妇打扫房间、洗衣服，给媳妇买这买那。隔壁邻舍看到后就会议论："该份人家阿婆丫轻骨头，弄下去要被媳妇看不起呵。"又比如，一个部下为了拍领导马屁，除了对领导的话百依百顺外，连领导的生活起居、日常琐事都服务得非常周到。不但领导自己觉得腻，同事们更看不惯，私下骂他："该个宁介丫轻骨头，呒骨气。"

做人要有尊严。"丫轻骨头"可能会在一段时间内处理好人际关系，但与人长期相处，并不是要你放弃自己的人格和尊严，一味地单向地去迎合别人，关键是要真心待人，按规矩做事。否则，人家可能会看轻你，觉得这个人没什么本事，只会溜须拍马。

生看见，熟呒份

指只看得到付出，而享受不到收获。

自己种在地里的庄稼，自己养的鸡鸭鹅猪，看着它一天天长大，开花结果，长膘长肉，可到它们可收获可宰杀时，却被别人拿走了，被别人享用了，心里别提多难受了，这就叫"生看见，熟呒份"。

过去贫农租地主的田地，一年苦到头，交地租的时候，田里的收获十之八九被地主拿走了，贫农心里很不平衡，于是就有了农民起义造反，反剥削反压迫。从一个家庭讲，过去新媳妇地位低，进门后在家里要烧饭做菜，侍候公婆和丈夫，做好了饭菜也不能同桌一起吃饭，等到一家子全部吃完了，她才能吃，吃的也是残羹冷饭。新媳妇心里也会有"生看见，熟呒份"的不平。

"生看见，熟呒份"是一种剥夺，被剥夺者有不平和反抗是自然的。共产党领导人民推翻剥削制度，让人民享受自己的劳动成果，得到了人民的广泛拥护。共产党教育自己的党员要吃苦在前、享乐在后，先天下之忧而忧、后天下之乐而乐，所以共产党员在人民群众面前即使出现了"生看见，熟呒份"的现象，也应该感到欣慰，因为你为人民做了事，体现了共产党员的情操和价值，人民群众就会拥护你。

[生看见，熟吭份]

105

差排鱼

> 指关键时刻或遇到困难却拔腿就跑的人。

"差排鱼",是一种生活在小河里的鱼类,体型狭长,常浮在水面,游得很快。民间有"桥倒压不煞差排鱼"的说法,说明这种鱼灵巧,躲得快。宁波人把"差排鱼"的这种特性引申到人身上,将一些平时活头活脑,在领导和同事面前表态坚决,看上去能担责任肯干事,关键时刻或遇到困难却拔腿就跑的人,称之为"差排鱼"。差,是跑和躲避的意思。比如,三人同行,与人谈判,"一差两错"发生了争执,差不多要打起来了。结果,三人中有一人不声不响地溜走了,任凭另两个人与别人吵翻天。不辞而别,宁波人说"差"。"该宁介推扳,差差掉",就是说这人这么坏,不讲一声就走了。

关键时刻要"差"的人,是不可深交的。他既然可以推卸责任,也就有可能会出卖朋友,对这种人一定要防着点。

电灯泡

> 这个人是多余的第三人,让人觉得别扭和难堪。

电灯泡是用于照明的,功率大的电灯泡亮度很强。宁波人说这个人是"电灯泡",是说这个人是多余的第三人,像灯泡一样照着别人,让人觉得别扭和难堪。

两个年轻人谈恋爱,轧马路、逛商场、看电影、喝咖啡、卿卿我我,你侬我侬。如果他俩中间有一个朋友当"电灯泡",一直跟着他们,那真是情何以堪,两个年轻人恋爱谈不成了,心里那个恨啊,说不定会想要杀人。同事之间也有这种情况,两个人要商量一些暂时不想让人知道的事情,可第三人一直在旁边,不能探讨;两人转移到另一个地方谈,这人又有意无意跟了过来,"电灯泡"一直照着,让人家哭笑不得。

"电灯泡"偶尔当一次,是可以理解的。比如,一男一女找对象,原先互不认识,由介绍人牵线。这时介绍人就要当一会儿"电灯泡"了,把两人的情况作一个简短的介绍,然后把双方的优点、特长宣扬一番,看到两人有点意思,可以自己谈了,便说一句:"我不当电灯泡了,还有点事先走了。"走前可能还会给男的使一个眼色,叫他主动点。这就是识相和老练。

宁肯搭乖人背包袱 弗可搭笨人出主意

> 一个团队要有一个出色的领路人，一个人要选择有出色领导人的团队。

"宁肯搭乖人背包袱，弗可搭笨人出主意"：乖人就是聪明人，跟着聪明人干，即使是打下手，也是开心的，有前途的；相反，跟着一个没有出息的人，会很郁闷，自己也会没出息。而且你给一个脑子不开窍的人做参谋出主意，一来他听不进去，还以为你在给他下套；二来即使你的意见被他采纳了，也有可能被他用歪了，好好的一个主张，实施结果却适得其反。这句话的意思是，一个团队要有一个出色的领路人，一个人要选择有出色领导人的团队，如果碰到一个笨蛋领导，你要赶快跳槽，另择明主。

［宁肯搭乖人背包袱，弗可搭笨人出主意］

卖秘诀

本来知道的事情不肯说,谈了条件才说。

"卖秘诀",指本来知道的事情不肯说,谈了条件才说。某人知道某一件事情的前因后果,然后另一个人想知道事情的真相,想请某人说给他听,结果这个人嘟着嘴,装着嗲,说不知道,这就是"卖秘诀"。

"卖秘诀"一般是针对女人说的。女人心里有一个结,有一个疙瘩,或者有喜有悲,这时有人问她相关事情,她爱答不理,你会说她:"卖啥秘诀,心里有委屈,说给我听听也没关系。"对方可能一把鼻涕一把泪,把自己的伤心事说给你听,让你一掬同情之泪。

可以"卖秘诀"的事一般都是鸡毛蒜皮的事,不肯干脆点说出来,无非是想搞点噱头,显示一下自己知道得多。其实想听的人也只是想满足一下好奇心而已。"卖秘诀"过了头,人家就不理你了。我想,兄弟姐妹、朋友之间还是坦白一点好,少卖点"秘诀"。

[卖秘诀]

发大兴

> 老实人偶尔发发"肚心"也是可以理解的。

"发大兴",指一个人被人欺负了,平时把委屈憋在心里,不表露出来,突然有一天受了某方面的刺激,情绪一下子爆发了,把心里的火都发了出来。比如,一个平时性格很温和,说话和颜悦色的人,个别人以为他老实、骨头软,经常欺负他,他也默默忍受、不争不闹,该干吗就干吗。可是有一天,不知什么原因,一个同事指着他的鼻子,说了很多很冲动很恶毒的话,气得他脸色发青,心中的火一下子蹿了上来,再也控制不住,于是爆发了激烈的争吵,这就叫老实人"发大兴"。

社会上对老实人有不少偏见,脏累苦的活叫老实人干,好处少的活派老实人做,表彰表扬却轮不到老实人,提拔干部又叫老实人让路,甚至还有人明目张胆欺负老实人。因此,老实人偶尔发发"大兴"也是可以理解的。但"发大兴"伤心伤身伤感情,还于事无补,所以应尽量克制。面对外界的刺激,还是要有一颗平常心,一只耳朵进一只耳朵出,把怒火压在心里,对骂你的人,一笑了之,冷眼相对就是了。

隔进乱缠

半路横插一杠。

"隔进乱缠",意思是半路横插一杠,打乱人家的部署,打断人家讲话,破坏正常秩序。比如两三个人很投缘地边走边讲,气氛很融洽,突然间另一人从旁边插进来,问:"你们在讲啥?让我也听听。"这伙人会觉得很恼火,说他:"你干吗,我们正好好说话,你隔进乱缠,难过伐?"又比如,一老板正开会商讨一笔生意,会场里忽然闯进来一个人,原来是老板的朋友,碍于情面,老板只好中断会议,陪朋友到办公室,让座倒茶。老板以为他有什么要紧的事情商量,结果是他闲着没事,来找老板聊天。老板想,我正在着急把这笔生意定下来,他却"隔进乱缠",但又抹不开面子,真是左右为难。

"隔进乱缠"是一种不良习气,让人厌烦又无奈。所以,做人要识相,人家不想让你参与的事就别瞎掺和,否则会自讨没趣。

撬祸

> 挑拨离间,制造是非,唯恐天下不乱。

"撬祸",指挑拨离间,制造是非,唯恐天下不乱。比如,两个人说话,其中谈到第三人,可能对第三人的工作、为人评价了几句,也不是说人家坏话,只是比较客观中肯的几句话。结果第二天,被评论过的人就知道了,认为有人在说他的坏话,而且知道是谁说的,说了什么内容(当然不是真实的内容)。从此这个人就一直耿耿于怀,对评论过他的人产生了误会。

由于"撬祸"是背靠背,而且"撬祸"者说的时候还添油加醋、别有用心,上当者又不会当面去对质,因此产生的隔阂很难消除。许多情况下,夫妻反目、同事矛盾、上下隔阂都是由"撬祸"引起的。所以,古人讲"偏听则暗,兼听则明",产生了矛盾要多沟通,大家开诚布公讲清楚,矛盾自然就消失了,并且"撬祸"者的面目也暴露了,没有市场了。

[撬祸]

镂根挖髓

一是要追根刨底，追溯源头，
二是搜肠刮肚，绞尽脑汁。

"镂根挖髓"，是指要把根刨出来，把脑髓挖出来，这里的"镂"，就是"刨"的意思。这个词可引申出两层内涵：一是要追根刨底，追溯源头，一定要把问题搞清楚；二是搜肠刮肚，绞尽脑汁，想办法出主意，想解决好问题。比如，两个同事，甲问乙，昨晚在哪儿吃饭，乙答：朋友聚餐。接着甲不停地问，在哪家饭店吃的，和哪些朋友一起，喝的是什么酒，谁买单的，等等，乙觉得不耐烦，就对甲说："倷该宁，介镂根挖髓，啰里啰唆，哪有问到底的？"又比如，领导碰到一个难题，给部下讲了，叫部下想想办法，于是这个部下动起了脑筋，方案设计了一套又一套，几乎把可以想到的办法都想了，而且个别办法还别出心裁。领导看了，嘴上没表扬，心里想这个人倒是会"镂根挖髓"动脑筋，挺聪明的。

"镂根挖髓"用在工作上是负责任的表现，应当提倡和表扬。但用在打听小道消息、打探别人的隐私上，就要注意把握分寸，尤其是朋友之间、同事之间，要给人家个人空间，人家不想让你知道的何必追根究底呢？

[镂根挖髓]

暗弄堂塞狗腿

指在没人看见的隐蔽地方送礼。

"暗弄堂塞狗腿":暗弄堂,是指没人看见的隐蔽地方;塞,悄悄地送;狗腿,礼物也。过去食品匮乏,家里养条狗,因为要紧的事,把狗宰了,割下最好的部位,送给能办成事的关系人。当然,现在送礼不会再送狗腿之类的东西,但"暗弄堂塞狗腿"的事还时有发生,不送礼办不成事的观念还根深蒂固。

中国社会是个人情社会,请人帮忙,送点礼物表示感谢,是人之常情;但要看你让人家帮的是什么忙,送的是什么礼。如果要帮的是跑官要官、承揽工程、受让土地的忙,送的是几万十几万元的礼,那么这就是行贿,是犯罪,是害人害己。其实,身为政府官员,秉公办事,为老百姓做好事、实事都是应该的;老百姓也要相信绝大多数公务员是可以信任的,是能为大家服务好的。只有这样,送礼送钱的现象才会逐渐减少,社会风气才会慢慢好起来。

扯牌头 戤牌头

靠"牌头"得到提升，既不光彩也不靠谱。

"扯牌头"是指主动标榜自己是某领导、某名人的某人，意在获得周围的高看和重视；"戤牌头"是指暗地里靠着某高官、某富翁，以期得到提拔或得到经济上的好处。封建社会当官人家一般都建有牌楼等标志性建筑，以显示官宦人家的威势和权力，至今宁波城乡仍保存着不少这样的建筑。过去讲"一人得道，鸡犬升天"，一人当官，整个家族都沾光受益，直到现在仍有人有这种想法，凡是有点沾亲带故的，只要与权贵靠得上边，总想沾点光。

"扯牌头""戤牌头"都是不正常的现象，靠"牌头"得到提升，既不光彩也不靠谱。要想得到组织的信任和提拔，关键在于自己，有一颗真诚的心，有真才实学，有干事创业的信心和决心。发家致富也一样，想依靠权贵的关系不劳而获，是不切实际的。

十三点

> 指这个人不大正常,脚高脚低。

昼夜各十二个小时,如果多一点就不正常了,就是乱钟了。宁波人说"十三点",是指这个人不大正常,脚高脚低,有时胡说八道,有时无故发飙。比如,几个女人一起拉家常,聊的无非是子女老公、衣服首饰。正说到兴头上,忽然另外一个女人插了进来,也不管人家在说什么,就自顾自地说起来了,滔滔不绝,讲个没完,而且说的与人家聊的内容一点都不搭界。众人就要说她:"侬该宁十三点,阿拉讲东侬讲西,毛讲了。"又如,做事情一会儿像猛张飞,横冲直撞,毫无顾忌,一会儿又像闷葫芦,一言不发,情绪飘忽不定,没有定数,没有规律,没有常态,人家也会说,这个人有点"十三点"。

"十三点"的人少数是性格使然,更多的是缺乏修养和历练。这种人本性不坏,只要后天多磨炼,思维能够整合,多听少说,多思考少出头,渐渐地"十三点"的毛病是能够改过来的。

［十三点］

掼砂锅

心中有气，撂挑子，该做的事不做了。

"掼砂锅"，指故意把好好的东西弄坏。砂锅是烧菜煲汤的器皿，几乎家家户户都有；"掼"是狠狠地砸向地上的动作。"掼砂锅"的引申意思是心中有气，撂挑子，该做的事不做了。比如一个人好好地在干事，而且这件事他可以干得很好，但旁边有些人却对他指指点点，说这里做得不好，那里有什么缺陷。这人心里很不舒服，停下手中的活，说："我不干了，你们本事大，你们来干吧！"大家都十分尴尬。某个也会干这件事的人可能会说他："鲁班师傅造凉亭，还要被小讨饭吃批评，你被别人议论几句有什么关系，掼啥砂锅，你不干我来干。"于是这个人就下不了台了，干也不是，不干也不是。

"掼砂锅"是使不得的，做人心胸要宽广，要经得住批评，一般来说，做事的人总是会被看热闹的人议论的，千万不要意气用事。

[掼砂锅]

若要好 大做小

这是一句宽容、和谐的话。

"若要好,大做小",这是一句宽容、和谐的话。老子与儿子吵架,上级与下级闹矛盾,年长的与年轻的闹别扭,大家相互不理不睬,心里一直有疙瘩,既影响感情,又耽误工作,长期下去总不是办法。何况闹矛盾,只要不是大是大非,双方都有一定责任。做长辈做上级的往往会不自觉地倚老卖老,或以势压人;做晚辈做下级的往往血气方刚、得理不饶人、不计后果。怎么办呢?做长辈和上级的只好放下架子,主动与年轻人和下级和好,把事情说开了,并真心地说几句自己的不是,这样对方的气也消了,也会主动检讨自己的问题,请求谅解。大家和好如初,这就叫"若要好,大做小"。当今这个社会,大家情绪比较浮躁,矛盾容易激化,要使家庭和单位和谐稳定,一方主动放低姿态,主动检讨自己的不是,对化解矛盾能起到积极的作用。

叉木宁

> 就是捉弄人，嘲笑人。

"叉木宁"：就是捉弄人，嘲笑人。叉，是捉弄、戏弄、吃豆腐的意思；木宁，指不太灵巧、不明就里或反应有点慢的人。"叉木宁"这个词一般是旁观者抱不平时说的，或被"叉"的人发现自己被欺负时自嘲的。比如，一群人在聊身边刚刚发生不久的事，这件事大多数人都知道，偏偏其中有一人不知道，问他们在讲什么，结果人家就转移话题，把他当作"白相果"，说他有喜事好事，要发财了，要提拔了，他呢还信以为真。旁边的人看不下去了，说："傺该眼宁介推扳，叉其木宁啊。"当事人反应过来了，也说："傺叉我木宁，介坏啦。"

开开玩笑"叉木宁"，无伤大雅，无非是一笑了之。但凡事要有一个度，开玩笑不能过火，否则会伤感情的。

鲁班师傅造凉亭还要被小讨饭吃批评

> 引申到人,就是"金无足赤,人无完人"。

鲁班是中国古代工匠的集大成者,是木匠、泥匠、铁匠、篾匠等的始祖,规划、设计、建造样样在行。按理说,鲁班造的凉亭应该是完美无缺、无懈可击的,为什么小讨饭还要提意见呢?原来小讨饭无家可归,把凉亭当了家。作为一个栖息地、居家所在,凉亭的功能就不健全了。比如,要睡觉却四面透风,要挂一只讨饭篮,却找不到一枚钉子,真是缺陷不少,小讨饭免不了要批评鲁班师傅了。

建筑是以用途来设计功能的,凉亭是用来给行人歇脚的,与住房的功能完全不同,从这个角度看,小讨饭的批评是没有道理的。但是从另一个角度看,完美无缺的建筑是没有的,即使是鲁班造的,不足与缺点也在所难免,也需要不断完善和改进。引申到人,就是"金无足赤,人无完人",做人也要不断严以修身,活到老学到老,充实和提高自己。

[鲁班师傅造凉亭,还要被小讨饭吃批评]

边打边相

> 就是走一步看一步,或者叫摸着石头过河。

"边打边相",就是走一步看一步,或者叫摸着石头过河。

过去城乡有不少打铁铺,为农民打造铁制农具,为居民打造菜刀之类的厨房用具。铁匠在制作铁器的过程中,并无任何设计和图纸,全凭经验和想象中的样子。比如,打造一把锄头,先要把一块熟铁在炉子里煨红烧软了,然后用钳子迅速取出放在铁砧上。这时师徒两人开始作业,师傅掌舵,一边用小锤子击打,一边不定地翻动转换方向,徒弟只管用大锤子有节奏地用力击打,两人一人一锤,你起我落,十几二十个回合后,渐渐有了锄头的雏形,铁也渐渐冷却下来了。这时师傅喊停,看看这一轮打下来怎么样了,有没有打出效果,盘算着下一轮怎么打。然后再将铁块放进炉子里加热。如此反复多次,一把锄头才能制成。这个过程就是"边打边相"的过程。

"边打边相"的目标是明确的,但达到目标的路径是不确定的,需要摸索,走偏了就需要纠正。打铁就是这样,一轮打下来,要观察一番,看看哪里打得厚了,哪里走样了,然后就知道下一轮什么地方要用力打,什么地方可以轻打甚至不打,什么地方要打回来,使之更好地向既定目标发展。当前我们深化改革,也要有打铁精神,做到方向明确,百折不挠。

眼睛一眨，癞孵鸡变鸭

形容变化快，眼睛眨一眨，一只正在孵小鸡的母鸡就变成了鸭。

"眼睛一眨，癞孵鸡变鸭"，形容变化快，眼睛眨一眨，一只正在孵小鸡的母鸡就变成了鸭。宁波人说这句话时带有夸张的意味，比如，两个人相约一起到公园看书，半小时后，一个人抬头看看旁边的座位，发觉坐着的是另外一个人，自己的同伴不辞而别了。这时他会自言自语："咋啦？眼睛一眨，癞孵鸡变鸭，宁不晓得死到阿里去了。"另外一种状况下也会用到这句话，就是眼皮底下东西被偷了。比如到商场买东西，要付钱时，随手把手机放在收银台上，等到付了款要拿手机，发现手机不见了。这时你会一边找一边说："明明手机放这儿的，眼睛一眨，癞孵鸡变鸭，今日真倒霉。"

当今社会，各方面变化日新月异。今天是一块荒地，明天就可能耸起一幢高楼；今天还是一条断头路，明天就变成了通途。这不但体现在硬件方面，软件方面更是如此，新知识新技术新业态层出不穷，几天不看报不上网就会跟不上形势。所以一定要加强学习、加强研究，以适应不断变化着的形势，不断开拓发展新的领域。

蟹爬

> 比喻某人字写得潦草含糊，让人看不懂。

不知大家有没有看到过蟹爬，两只螯高高举起，八只脚拼命往地下拨动，带动整个身体前进，速度很快，转弯和后退也很迅速。蟹爬过的痕迹是糊里糊涂、看不清楚的。所以，宁波人用"蟹爬"比喻某人字写得潦草模糊，让人看不懂。小时候，我们写字不认真，老师和父母都会批评，说的都是："倷该小顽字写得介推扳，像蟹爬一样，看也看不懂，要好好练练。"好在过去我们上小学时，下午上课前专门有20分钟的大字课，学习书法，让好多同学练得一手好字，终身受益。据说现在小学没有大字课了，而且计算机普及后，写字靠键盘，有好多人不仅字写得像"蟹爬"，甚至握笔写字都有困难，这样发展下去，我们中华汉字的传承都有问题了。字如其人，一个人写出的字反映了一个人的行事风格和做派，如字迹潦草的人往往办事不够认真，心情比较浮躁。荀子在《劝学篇》里说："蟹六跪而二螯，非蛇鳝之穴无可寄托者，用心躁也。"意思是蟹有六条腿，两个蟹钳，但如果没有蛇、鳝的洞穴它就无处藏身，这是因为它用心浮躁啊。所以，奉劝年轻人要沉下心来，平时好好练练书法，既能写得一手好字，又能修身养性。

[蟹爬]

三岁依记看到老

— 小时候表现出来的行为等,到老了也不会改变。

"三岁依记看到老",这句话的意思是小时候表现出来的行为、动作、性格,到老了也不会改变。小的时候乖巧,成年了也很灵活;小的时候傻傻的,大了也不会有多大出息。"依记"原来解释过,是发嗲、作死的行为动作。

这句话把人看扁了,有点唯心主义。决定人行为、性格的,有先天的遗传因素,但更主要的是后天的熏陶教育。从后天因素来说,家庭成员,特别是父母的言传身教会起到关键作用。比如,父母对待自己的父母是恶言相向还是十分孝顺,小孩子是看在眼里记在心上的,也就是说,你怎样对待父母,今后你的孩子也可能怎样对待你;又比如,小时候很顽皮、不听话的,随着知识的积累、阅历的增长,说不定长大以后会成为发明家、科学家。因此,做长辈的人看到小孩犯错或看不惯的时候,千万不要说过头话,不要看死一个人。这个世界,什么都会改变,什么都会发生。

[三岁依记看到老]

千丝扳藤

指千丝万缕，说不清、道不明，隔了很远的关系。

"千丝扳藤"，指千丝万缕，说不清、道不明，隔了很远的关系。某人受人之托，要为人家小孩找工作，这个人自己又办不了，再托熟悉的人去办，说是我有一个远房亲戚的小孩，大学毕业了，要找工作，能不能帮忙想想办法。朋友觉得烦，说他："倷该宁，千丝扳藤的亲眷咋介多啦，刚刚才帮倷介绍过一个，咋又有一个？"说归说，帮还是帮他的。

当今社会有一个很不好的现象，就是喜欢攀附权贵。如果你当了官或发了财，不仅正宗的亲戚、大中小学的同学、老家的邻居会找上门来，而且没有血缘关系、八竿子都打不着的人也会与你攀亲戚。他们或要你动用权力安排工作，或要你在某些敏感问题上打个招呼，或问你借钱办事。这些"千丝扳藤"的关系会让你烦不胜烦。你若铁面无私，他们就在背后说你："屋山尖头开门，眼睛朝天，没有情义。"你若无原则地满口答应，人家托的事情可能是办成了，但或许你损害了别人的利益，或许你违反了党纪政纪。所以，给人帮忙一定要有底线，凡是违法违规的忙千万不能帮。有几种特殊的忙，即使与你是"千丝扳藤"的关系，还是要帮的，比如生急病看医生，这是救命的事，要有钱出钱有力出力；如资助小孩上学，能改变人的一生，是善事，要尽力而为。

跑过三关六码头 吃过奉化芋艿头

> 夸耀自己见多识广,该跑的地方都到过了,该吃的美食都品尝了。

"跑过三关六码头,吃过奉化芋艿头",说这句话的人是夸耀自己见多识广,该跑的地方都到过了,该吃的美食都品尝了,同时也赞美了家乡的特产味道非常好。三关六码头是指全国各地;芋艿头,是宁波奉化的特产。芋头的个头很大,春种秋收,基本不生芋子,只长那个芋头,烧熟后口感细腻、柔滑,比电视剧《宰相刘罗锅》里提到的广西荔浦芋头不知要好吃多少倍。

见多识广固然值得骄傲,但这句话隐隐流露的沾沾自喜、自我陶醉的情绪,对一个人、一个地方的发展进步是非常有害的。如果只是以见多识广为资本而夸夸其谈,以获得别人的尊重和仰慕,这就大错特错了;正确的态度应该是,以见识为基础为借鉴,思考自己的发展,形成自己的思路,然后一步步走自己的路,把自己的家乡建设好。

饭店门口摆粥摊

做生意要找对地方,不要搞没有竞争力的竞争。

"饭店门口摆粥摊",这句话的意思是做生意要找对地方,饭店前面去摆一个粥摊是没有生意的,不要搞没有竞争力的竞争。但从现实来看,饭店前面摆粥摊或许是找对了地方:同为解决吃的问题,饭店是消费比较高的地方,而且一日三餐都有;粥摊是低档次的食肆,往往只提供早点,住饭店的人不一定喜欢在饭店里吃早餐,而喜欢到粥摊喝一碗具有当地风味的粥,诸如皮蛋粥、骨头粥、小米粥等,既暖胃又可口,还省钱。饭店门口又是人流比较集中的地方,既有富商官员,也有民工穷人,粥摊供应的粥老少皆宜、贫富都爱,一大早喝上一碗热乎乎的粥,人人都会觉得很舒服。所以,"饭店门口摆粥摊",属于经营思路上的逆向思维,搞得好,是能做出名堂来的。

[饭店门口摆粥摊]

癞头怕剃头 剃头怕癞头

指双方之间相互忌惮，相互害怕。

"癞头怕剃头，剃头怕癞头"，指双方之间相互忌惮，相互害怕。"癞头"是一种病，未痊愈前头皮上是一块块的病灶，发炎化脓，然后结痂，结痂的地方由于毛囊受到破坏，今后就不会长头发了，而没得过病的地方照样会长出头发来，头上就形成了东一块西一块的疤痕，东一撮西一撮的头发，很难看。癞头头发长了要理，尽管理发时会很痛，但也得找理发师傅。理发师傅见是癞头来剃头，也觉得很为难，因为这个活难干，既发挥不了技术，又怕弄痛人家。因此，剃头和癞头之间相互忌惮，相互害怕。

人与人之间，一定要相互信任，相互理解，尤其是需要两人相互配合才能做成的事，更需要真心诚意，齐心协力，即使一方有些困难，也要自己克服。就像癞头剃头，癞头要信任理发师傅，相信他能理好发，即使理发时会有一点痛苦，也要忍一忍，把自己的头放心地交给他；对理发师傅来讲，要有对他人高度负责的态度，体谅人家的痛苦，语言亲切一点，技术发挥得好一点，下手轻一点，这个头就理成了，双方也都满意了。

[癞头怕剃头，剃头怕癞头]

王三舞尽

指毫无顾忌、十分张扬、有恃无恐、耀武扬威。

"王三舞尽",指毫无顾忌、十分张扬、有恃无恐、耀武扬威。比如,开会时轮到某人发言,他天南地北,高谈阔论,先自我标榜,好像他有天大的本事,什么事都干得好似的,后又口无遮拦,对单位的同事评头论足。这时与会人员就会说:"该宁怎么这样王三舞尽,一眼不晓得做做忌,眼中还有人吗?"又比如某人到别人家做客,他把别人家当自己家,坐没坐相,吃没吃相,还在人家的柜子、抽屉里翻东翻西。主人嘴上不说,心里肯定在骂:"该宁王三舞尽,介没教养。"

"王三舞尽"是一种流氓习气,有这种习气的人要尽快改一改。人要懂得守规矩,要会收敛,不张扬。尤其是在大庭广众下,语言要低调,行为要得体,要展现自己的良好素质。

[王三舞尽]

爹头娘脚

牛头不对马嘴，说话词不达意，张冠李戴。

  "爹头娘脚"，指爹说爹话，娘走娘路，爹娘步调不一致。引申为牛头不对马嘴，说话词不达意，张冠李戴。也可用于形容某人做事"团团动"，乱七八糟，没有章法。比如一个人讲话，开始讲的是房价涨啊跌啊，很正常。突然间，他的话题跳跃到了太空，讲起了外星人是怎么到地球的，长得怎么样，让人听得莫名其妙。人家就说他："侬讲闲话咋爹头娘脚，毛讲类。"又比如，母亲叫儿子去买一包味精，结果他买回来的却是一包白糖。母亲就会说他："侬介爹头娘脚，魂灵阿里去啦？"

  说话做事"爹头娘脚"的人，要逐步提高自己的逻辑思维能力，减少跳跃式思维，增强条理性，可以从一二三四提纲式做起。同时，要集中精力，不要心不在焉。

人头上轧轧 水面墩划划

人要经风雨、见世面,才能长大成熟。

"人头上轧轧,水面墩划划",意思是人要经风雨、见世面,才能长大成熟。多见人头,广泛接触各类人物,包括生意场上的、官场上的、当工人农民的,了解他们的所思所想,探究他们成功失败的原因,寻找可供自己借鉴的经验,这就是"人头上轧轧"的目的。同时,要想办法多到各处跑跑,天南地北、山区海岛、国内国外,了解风土人情,游览名山大川,熟悉历史典故,充实自己的知识,丰富自己的阅历,这就是"水面墩划划"的好处了。过去宁波人讲这人"人头上轧轧,水面墩划划",是有贬义的,含有指责此人不务正业、游手好闲的意思。我想在现代改革开放的社会环境下,对这句话应该从正面来理解,赋予它新的含义。

了远隔水

> 引申为关系已经很远了,还要来插一脚干预别人的事。

"了远隔水",指隔着山隔着水,路途遥远,还要把手伸过来,把话传过来。引申为关系已经很远了,还要来插一脚干预别人的事。比如,一个在北京的朋友,离开宁波多年了,平时也不大联系,忽然有一天打电话来,要宁波的朋友帮他做一件事,而且还用一种居高临下的口气教他这件事应该怎么做。宁波的朋友很反感,心想你又不是我什么人,"了远隔水"地教训我,遂不理他。又如,一个领导调离原单位许久后,仍有人托他,让他给原单位领导说说对某干部加以关照。这位领导觉得为难,说:"我调离这么长时间了,再了远隔水去说,影响不好,说了人家也不一定会听。"

"了远隔水"干涉人家,会有后遗症,既影响自己的声誉也影响别人正常的生活和工作。最简单的例子就是夫妻吵架,旁人拉偏架,结果越拉夫妻俩的火越大,吵得越厉害。本来夫妻间拌几句嘴很正常,你"了远隔水"插一脚,反倒激化了矛盾。所以,做人要谨慎,不要去干预不相干的人和事。

[了远隔水]

邪火气

> 指夸张,煞有介事,把一粒芝麻说成一个西瓜。

"邪火气",指夸张,煞有介事,把一粒芝麻说成一个西瓜。比如某人写了一篇豆腐干一样的文章,并且在报纸上发表了,马上有人开始当面奉承,说你这篇文章思想深邃,条理清晰,逻辑性强,我们学习后深受启发教育,受益匪浅。某人如果脑子清爽,就会说这个人:"倷介'邪火气',我这种文章摆不上台面的。"又比如,某居民小区发现了一条蛇,也不大,就是一条普通的水蛇。可有人"邪火气"了,跟没看见的人说,我们小区昨晚有一条胳膊粗的蛇,通体漆黑,好吓人。然后一传十、十传百,大家都凭想象将它加粗加大,最后就不是蛇而是一条龙了。可见"邪火气"会使真相越来越远,甚至走向事实的反面。开玩笑的时候,大家夸张一下,有点"邪火气",调节一下气氛,博众人一笑,未尝不可。如果你搞调研,写报告,也来点"邪火气",那就要出问题了。比如考察干部,把考察对象的优缺点写得很夸张,那就会害了干部害了组织。比如写灾情报告,把小灾写成大灾,倒了多少房,死了多少人,总损失几亿几亿的,这不是变成骗人了吗?所以还是要回到实事求是的思想路线上来,绝对不能玩"邪火气"。

[邪火气]

呒进呒出

指随便、无所谓的意思。

"呒进呒出",指随便、无所谓的意思。老婆问你:"国庆长假,我们去北京爬长城、游故宫好吗?"你回答:"这些地方我都去过了,去也行不去也行,呒进呒出。"老婆又问:"今天礼拜天,阿拉到商场逛逛,顺便拨侬买套西装。"然后你说:"我西装已经有了,再买就呒进呒出了,你如果要逛街,我陪你去。"

"呒进呒出"的态度,有点冷淡,有点爱答不理,有点伤别人的感情。就好像在人家的兴头上浇一盆凉水。如果家里老婆说一件事,你回答"呒进呒出",说第二件事,你又如此回答,你老婆不啐你才怪呢。同理,同事之间,大家都有兴趣想去做某件事,你呢还是"呒进呒出"的态度,有气无力,那么你很可能会变成孤家寡人。所以,对人还是热情点好,合群点好,尽量少点"呒进呒出"的态度。

背耙
程度比较轻的上当受骗

"背耙"：程度比较轻的上当受骗；或者是因为自己理解错了做了什么，白费了工夫，表示懊悔自嘲。比如，一个交了多年的朋友，忽然有一天向你借钱，你毫不犹豫地借给他了，结果有去无回，朋友失踪了，尽管你借给他的钱不多，但心里觉得很懊恼，偶尔会对家里人说："背耙背耙，想不到他是这样一个人。"又比如，朋友打电话相邀下周聚餐，告诉你什么日子什么地点，到了那天你兴冲冲赶到酒店，结果没有找到你的朋友。你连忙打电话过去，一问才知道自己搞错了地方，原来这酒店是连锁的，你凭印象是江东店，其实朋友订的是江北店。这时你会调侃自己："背耙类，弗是该里，是江北。"

减少"背耙"，要有警惕性。古人说：害人之心不可有，防人之心不可无，朋友之间要有情谊，但在钱财问题上也应该亲兄弟明算账，办好手续，留有依据，有借有还。对于电信骗局，只要你不贪财，就不会被诱惑，也就不会"背耙"。如果找错了地方，或人家开玩笑让你上上小当，"背背耙"，那就一笑了之吧。

落轧

指犯错,让人生气。

"落轧":指犯错,让人生气,一般是反问自己的用语。比如,几个人开开心心在一起聊天,你一句我一句的,气氛很融洽。突然有一个人不开心了,拉下了脸,怒气冲冲,一言不发。大家都感到莫名其妙,不知道谁说错了话,得罪了他。于是大家一边安慰一边在心里检讨,究竟是哪几句话讲得不妥,犯"落轧",让他不舒服了。又比如,到一个机关单位去办事,一不小心说了句不妥当的话,引起了某处长的反感,犯了"落轧",结果把事情搞砸了。

犯"落轧"是很难受的事,会引起矛盾和纠纷,并且会在心里留下阴影,所以要尽量避免。特别要注意说话的分寸,在不太熟悉的场合,说话之前要先考虑下我应该说什么话,应该用什么语气语调,人家会不会感到不舒服。

装细巧

> 就是假装、假惺惺。

"装细巧"：就是假装、假惺惺。"细巧"是指有教养、高贵，为人处世有一种贵族气质。本来粗不拉几的一个人一定要装得高贵有素质，但又有点忸怩作态，装得不像，让人觉得不舒服。比如，本来这个人胃口很好，而且什么都能吃，不偏食，但到朋友家吃饭，却放不开，问他肉吃不吃，鱼吃不吃，他都回答不吃，只吃蔬菜。朋友知道他平时没有忌口的，就说他："侬装啥细巧，否则侬回家去吧。"一个干部平时说话粗声粗气的，和领导说话则变得细声细语的，像换了一个人。同事们看不起他，就会说："该宁太会装细巧了，大家当心点。"

"装细巧"往往会被人识破，聪明反被聪明误，结果反而被人看不起。所以，做人还是本色一点为好，该怎样就怎样，装出来的总归是假的，做一个诚实的人多好啊。

结棍

指结实、壮实、力气大、厉害。

"结棍":指结实、壮实、力气大、厉害。这个词在宁波话里应用比较广泛。这个人长得壮实叫"结棍";力气大,能挑200斤担子叫"结棍";某项工作难度较大,你觉得完成有困难,想卸担子,会说:"该生活太结棍了,我吃不消";一个中年人如果连续工作两天两夜,而不显疲态,人家也会说:"侬咋介结棍啦,阿拉后生也吃不落";一个地方为了引进人才或大项目,出台了力度很大的政策措施,宁波人说:"该政策咋介结棍,赶快去宣传宣传"。

总的来说,"结棍"是一个好词,身体"结棍"不生病,思想"结棍"不犯错,工作做得"结棍"有成果。某些需要改革需要突破的领域,也要有"结棍"的政策举措去推进。

[结棍]

嘎门

指不大喜欢但又可以勉强接受。

"嘎门",指不大喜欢但又可以勉强接受。比如,有人喜欢吃河鱼,有人喜欢吃海鱼。某人家里请客,买了一个鲢鱼头,打算烧豆腐鱼头,烧前问某客人喜欢吃吗?因为此人不大吃河鱼,所以回答:"鲢鱼头我嘎门呵,倷已经买了,就烧了吧。"去一个已经去过的景点旅游,兴趣不大,由于是工会统一组织,也不好不去,于是便给组织者提意见:"该地方我去过好几次,实在有点嘎门去了,能否换一个地方?"对自己不喜欢的人也可以用这个词:"这个人我看不惯,嘎门搭其凑队。"

"嘎门"是一种态度。对工作是不能用"嘎门"的态度的,不管你喜不喜欢,工作上的事必须认真做好。至于生活上,每个人都有自己的爱好,你对某些东西表示"嘎门"或表示喜爱,都是无关紧要的,但对别人的习惯,大家应该予以尊重。

虾有虾路 蟹有蟹路

比喻各人有各人的关系和办法。

"虾有虾路，蟹有蟹路"，比喻各人有各人的关系和办法。比如，2008年的时候，你想尽办法，弄到了两张北京奥运会开幕式的门票，开心得不得了，在同事和朋友面前，大大炫耀了一番。忽然发现，朋友手上也拿着一张门票，你觉得很惊讶："我可是托了某某才搞到的，他怎么也会有呢？"旁人就说了："怎么，难道只有你本事大？虾有虾路，蟹有蟹路，别小看人家。"官场里，一个平时能力才干很一般的人突然得到了提拔，大家都觉得奇怪，背后议论这个人怎样怎样，最后有人一锤定音说："大家都别瞎猜了，虾有虾路，蟹有蟹路，说不定此人另有门路，被谁看中了。"

有门路有办法是好事，如果把这些资源用来发展经济、办正事，那一定是正能量。如果用于为个人办私事，开后门，搞邪道，那绝对是负面效应，会损害公众利益，被人们所痛恨。

三缺一伤阴骘

指打麻将要四人，少了一人成不了局。

"三缺一，伤阴骘"，是指搓麻将要四人，少了一人就成不了局。三个人赌兴正炽，独缺一人，难受了就开始骂人，并千方百计拉人加入，即使不会搓的也让临时代替一下。这句话至少说明两个问题：一是缺位者的重要性。这缺位者就是人们常说的关键人物，没有他，什么都无从谈起。二是建制的重要性。规则里麻将要四人一起搓，三人麻将就没味道或者根本搓不了。搓麻将的原理，非常奇怪。四个人坐在一起，看上去很团结、很和谐，说说笑笑，快乐得很，可这个团体里的每一个人都各干各的，各怀心思，相互揣摩，恨不得你输我赢，你的钱放到我的口袋里。可输的赢的都心甘情愿，团队又是万万拆散不了的。

所以，麻将是中国传统文化的怪胎，麻将文化浸润下的某些中国人，就像一盘散沙，表面上你好我好，骨子里则相互拆台、钩心斗角，期盼对方犯错，使自己有可乘之机。如果这样的一群人集合在一起，上战场希望别人挡子弹，上商场尔虞我诈，进官场相互倾轧，只怕会永无宁日。作为娱乐，偶尔搓搓麻将未尝不可，但不能沉湎此道，更不能把搓麻将的手段应用到其他领域，否则是要败坏风气的。

[三缺一，伤阴鹫]

三个老戎顶潮鸭

> 女士们凑在一起有说有笑，聊起来不仅声音大，而且毫无顾忌。

三个已婚妇女凑在一起，叽叽喳喳，说起话来没完没了，像一群鸭子嘎嘎嘎地吵个不停。"三个老戎顶潮鸭"的意思是女士们凑在一起有说有笑，聊起来不仅声音大，而且毫无顾忌，无法无天。

女人们爱说话可能是先天因素，和大脑的构成有关。多数男人说话比较木讷，不善于表达，有时还会词不达意；女人则相反，先吐为快，尤其是碰到闺密，那就像竹筒倒豆，倾巢而出，老公儿女、公婆姑嫂、叔伯邻居、同学同事，反正家长里短、风流韵事，三天三夜也说不完。如果一群男人和一群女人一起出差，男人肯定会说："傣该眼女宁，真正是三个老戎顶潮鸭，闲话会讲不完了，拨傣吵煞类。"

女人空闲时聊聊天，拉拉家常，很普遍，也很正常，可以舒畅心情，纾解心结，更可以结交朋友，拓宽社交面。但女人之间说话也要防止语气尖刻，挑拨是非，制造矛盾。

出力弗讨好 阿黄揉年糕

> 主人觉得狗不识相,我忙你帮倒忙。

"阿黄"就是指黄狗,过年前宁波农村的农户十有八九都要热热闹闹做年糕,家里养的狗这时也很兴奋,窜东奔西,好像在帮主人的忙。主人呢,却觉得狗太烦,碍手碍脚的,经常呵斥,让它离开。作为狗,觉得我出力帮你忙,还要骂我,很委屈;作为主人,觉得狗不识相,我忙你还帮倒忙,于是有了这句"出力弗讨好,阿黄揉年糕"的宁波老话。

"出力弗讨好"的现象经常出现在我们的日常生活中。主人在洗碗,客人为了表示感谢,一定要从主人的手中夺过碗来,由他来洗,结果大家都客气了一下,碗没拿住,掉在地上打碎了。主人嘴上不说,心里却想:你客气什么,反而帮倒忙。工作上也一样,一个团队好好地顺风顺水地在推进工作,又加入几个人一起做,本来是想增强团队力量,结果出于新来的人不懂怎么干,把事情耽误了,团队老成员肯定要埋怨。新加入的人却感到委屈,发牢骚:"出力弗讨好,阿黄揉年糕。"帮忙是好事,但帮忙要得法,要能助人家一臂之力,而不是相反,阻碍人家的成功。

亲家姆讨饭相　矮凳勿坐坐地样

穷苦出身的丈母娘到女婿家做客不坐凳子坐地上，这种不懂礼仪的表现被主人看不起。

"亲家姆讨饭相，矮凳勿坐坐地样"，说的是穷苦出身的丈母娘到女婿家做客，女婿的妈妈、女儿的婆婆热情相待，倒茶让座，亲家姆反而觉得手足无措，茶也不喝，坐也不坐，反倒一屁股坐在地上。主人家觉得有点丢脸，有一点看不起。主人欺贫抱富固然不对，但亲家姆自己至少有两方面的责任：一是没有养成良好的习惯。家里即使穷得没凳子，也要有坐凳子的习惯，尤其是外出做客，不能像在自己家里那样随随便便。二是不懂礼仪。比如我们出席重要活动、参加婚礼、出国出境，总要穿得整洁一些，甚至穿西装系领带，同时说话放低声音，坐下姿势要正。总之，要循规蹈矩。当然，对年纪大的人，对农村来的人，他们没见过大的世面，到别人家里做客难免拘束紧张、失礼失态，这是可以理解的，切不可耻笑人家。年轻的朋友倒是要学礼仪讲礼貌，谈吐要得体，举止要端庄，以体现自己的良好素质。

[亲家姆讨饭相,矮凳勿坐坐地样]

鹿过江

指错失时机,已经来不及了。

"鹿过江":指错失时机,已经来不及了。我猜想这句话的出处应该是,过去宁波一带山上有不少小鹿、獐麂之类的野生动物,猎人们上山打猎,小鹿逃命,前面却是一条大江,小鹿不顾一切跳进江里,游到对岸去了。等到猎人赶到江边,已经看不到小鹿的踪影了。于是,猎人一声长叹:"唉,鹿过江了。"意思是错过了,来不及了。

一群人相约第二天凌晨去海边看日出,结果有一人睡过了头,待他醒来急忙赶过去,已经日上三竿了,与那喷薄欲出、霞光万道的壮美景色擦肩而过。他自己很后悔,同行的还要说他:"等你来,鹿过江了。"过去到商场买紧俏商品也是这样,限量供应,排长队,你慢吞吞的,等你赶到,早就卖完,"鹿过江"了。

要避免"鹿过江"现象,一定要有认真负责的态度,做事情要切切在心;一定要有时间观念,而且要有争分夺秒、只争朝夕的紧迫感。这样就能抓住机遇,不留遗憾。

狗生狗值钿 猫生猫值钿 癞头儿子自中意

可怜天下父母心。

"狗生狗值钿,猫生猫值钿,癞头儿子自中意":说的是母爱的伟大。母狗生小狗、老猫生小猫,这些动物对幼小的生命也都是百般疼爱,舐毛喂奶,照顾得无微不至。人类更是如此,即使生出来的小孩有点先天不足,有点残疾,做母亲的也是疼爱得不得了,左看右看越看越可爱,越看越喜欢。这从人类学、动物学上讲,是天性使然,从社会学上讲是人伦道德。如果一个母亲对小孩只生不养,那这个小孩是活不长的。我们经常听到的悲剧是,小孩出生不久,被偷了,被残害了,或者活生生地被永远抱离了母亲身边,这时的母亲是世界上最痛苦的人,也是最愤怒的人,她可能会拼命,或者是寻死觅活。这种骨肉分离的惨状,见到的人都会掬一把同情之泪。

但世界之大无奇不有。媒体曾报道过某省某县某村一对夫妻,把生小孩作为谋财之道。丈夫预先找好头主,谈好价钱,一旦妻子分娩,就把小孩卖掉,而且几年内卖掉了好几个。这种人灭人伦,毁人性,简直禽兽不如。

生了小孩，仅仅"值钿"是远远不够的，一定要把他养得健健康康，还要教他学文化学礼仪，从小进行道德熏陶，逐步培养他成人成才。这个过程漫长且艰辛，父母要含辛茹苦。但有苦也会有乐，当儿女用稚嫩的嗓音叫一声妈妈、爸爸，你的开心简直无法形容，所有的辛苦都烟消云散了。当长大了的儿女带回一个女朋友或男朋友，做父母的嘴巴就合不拢了，心里会想：我儿子（女儿）终于长大了，我们也老了。当你的儿女在工作中做出成绩，获得荣誉时，你可能比他们还要高兴，感到脸上有光，门楣有彩。哎，可怜天下父母心呐。

[狗生狗值钿，猫生猫值钿，癞头儿子自中意]

头出角

> 自以为有背景,很张扬,很嚣张。

自以为有背景,觉得高人一等,很张扬,很嚣张,宁波人称这种人为"头出角"。还有一种人,出身倒没什么特别,但平时蛮横无理、凶狠霸道,总想占点便宜,宁波人也称之为"头出角"。

对"头出角"的人,人们多数是敬而远之的,你霸你的,我干我的,井水不犯河水。但也有人不买账,与这种人发生摩擦口角,该骂时骂,该打时打,口中说:"你头出角吗?人家怕你,我就不怕你!"于是,吵得不可开交。

人,在人格上、法律上都是平等的,既不能因为你是官二代、富二代就自我感觉良好,更不能因为你力气大、拳头硬就欺负人。相反,为官为富的后代更应该低调做人;四肢发达、头脑简单的人更应该注重自身修养。只有融入大多数,与普通民众融为一体,才能从中汲取营养,成长自己;切记,"头出角"是不会获得人们尊重的,只会被人们唾弃和厌恶。

屋山尖头开门

指断绝亲戚朋友关系，拒人于门外。

"屋山尖头开门"，指断绝亲戚朋友关系，拒人于门外。明清时期的老房子有山墙，比较高大。在山墙的顶部开一扇门，人怎么进出呢？宁波人认为你这个人无情无义，没有亲戚朋友走动，就说："傣该宁屋山尖头开门。"

作为一个社会人，扮演着多重角色。从家族讲，你有上辈上上辈，有兄弟姐妹等同辈，有子侄外甥等晚辈，亲戚之间不可能不走动；从工作单位讲，不管你是不是领导，你都有上级下级，同事之间你不可能不交往；你还有同学朋友等横向关系，也要应酬。以上这些关系，你如果一概拒绝，那你就不是地球人了。所以，人是要有亲朋好友交往的。作为一个社会人，一定要学会交友之道、待人之道，让人感到温暖和亲切。当然，要慎交友、交好友，不能为交友丧失原则，害人害己。

心越急 柴越湿

> 柴是湿的,火烧不起来,菜也做不成,只能干着急。

家里来了客人,主人急急忙忙洗菜做饭,本来想快点把饭菜做好,好好招待客人。结果事与愿违,柴是湿的,火烧不起来,菜也做不成,只能干着急。"心越急,柴越湿"这句话是指,要成功地做好一件事,应当早作准备。就像盖一幢楼,你打算半年内完工,但事先什么都没做过,或者只做了一部分,比如,土地没拍来,资金没落实,项目审批书没拿下来,你却拍板开工,这时麻烦就来了。轻的责令停工、罚款,重的可能有牢狱之灾。所以,想干成一件事,必须把准备工作做到位,烧饭前要把柴草先晒干了,造房前要把所有手续都办齐了,未雨绸缪,才不至于"临时抱佛脚",才不至于出现"心越急,柴越湿"的状况。

[心越急，柴越湿]

恶嘴眼相

> 心中有恶气,非常郁闷,脸拉得老长,眼中有怒气。

"恶嘴眼相",是一种表情、一种状态,心中有恶气,非常郁闷,脸拉得老长,眼中有怒气。如果这时有人惹了他,那肯定是自找晦气,轻一点的给你一个凶巴巴的眼神,重一点的就是被他无端地骂一通。比如,某人因工作失误,被上司狠狠骂了一顿,还要扣发当月奖金。回到自己的座位后,一口气没处出,心里又是委屈又是愤怒,脸一直黑着,刚好有人不看三色,问他:"刚才领导表扬你了?给你红包了?"这话正好戳到他的痛处,他马上就变成一头发怒的狮子,向对方咆哮起来,于是对方回应道:"我不过开个玩笑,你恶嘴眼相做啥?"说完远远地躲开了。

古人讲,财色气是人的三大克星,"恶嘴眼相"是一股气,一股恶气,这股气对身体对心理都是有害的,对工作更是不利。所以要学会克制怒气,心里要有静气,遇上令人气愤的事情先冷静下来思考一下,然后再来决定下一步怎么做,做到喜怒不形于色。

[恶嘴眼相]

二五当八六

指吃不下也要吃,结果吃得糊里糊涂,分不清南北的意思。

"二五当八六":二、五之和为七,七八六即"吃不落"的谐音,指吃不下也要吃,结果吃得糊里糊涂,分不清南北的意思。比如,喝醉了酒,醉态朦胧,说话含含糊糊,看人迷迷糊糊。旁人说:"该宁喝酒没分寸,喝得二五当八六,闲话乱讲,屋里也不认得类。"

人啊,有时候真是把握不了自己,明明知道酒不可多喝,喝多了会伤身闯祸,但一上酒桌,经不住人家三劝四劝,不但人家敬的喝了,而且自己也主动喝了起来,一杯两杯三四杯,五杯六杯七八杯,结果又喝高了,就出现了"二五当八六"的现象。

亲朋好友聚会,偶尔醉上一次无妨。但千万不能把喝酒的状态带入到工作中,如果工作时也糊里糊涂地"二五当八六",那是要误事的,更是不允许的。

热血刮心

不顾一切一心想做成某事。

"热血刮心":"热血"很好理解,血热了便会沸腾,容易冲动;"刮",在宁波话里的意思不是去掉,而是糊住了,包裹住了。滚烫的血包住了心脏,你说这个人是不是要发疯了?这句话的意思是不顾一切一心想做成某事。据观察,"热血刮心"容易在两种情况下发生:一是男女关系。谈恋爱时,男女二人很不般配,家庭、性格、文化等都有很大差异,但两人一个非嫁不可,一个非娶不可。父母软硬兼施都没用,亲朋好言相劝更不听,一定要结秦晋之好。这就是"热血刮心"。一个幸福美满的家庭,夫妻原本非常恩爱,儿女聪明可爱,其乐融融。结果夫妻一方有了婚外情,抛子别妻(夫),一定要跟别人走,好好的家庭拆散了,这也是"热血刮心"。二是赌博。十赌九输的道理大家都知道,但一个人赌兴发作时可没想太多,一门心思只想着赢钱,赢了一百想赢一千,输了想翻本,结果,输得短裤也不剩了。这更是"热血刮心"。

"热血刮心"是一时冲动,既成事实后会遗憾终身。所以与其事后悔恨,还不如事前防范。在自己冲动时,听听长辈、朋友的意见,让自己发热发昏的头脑冷静下来,悬崖勒马,改正错误,回到正道上来。

地要东乡 儿要亲生

东乡土地肥沃，水系发达，儿子亲生才有亲情。

"地要东乡，儿要亲生"，这是一句宁波人经常说的老话。宁波东边的邱隘、五乡、福明一带，土地肥沃，水系发达，受自然灾害影响小，农业生产基本稳产高产，旱涝保收。所以，过去有钱人买地就选择买东乡的地。儿子要亲生就不用解释了，俗话说，肚不痛儿不亲，只有亲生亲养的小孩，才会有一种天然的亲情。

我觉得这句老话表达了两层意思：一是区位优势很重要，比如宁波地处沿海开放地区，发展就比内陆地区快一些。好多大公司的总部总是喜欢落户在北京、上海、广州等一线城市，也是这个道理。二是光靠区位优势还不行，还要大家艰苦奋斗、亲力亲为，才能取得成果，共享成果，而且看着经过自己努力得到的成果，心里会感到十分的亲切和自豪。

[地要东乡，儿要亲生]

窭头

指死脑筋,打定主意了九头牛也拉不回来。

"窭头",指死脑筋,打定主意了九头牛也拉不回来,即使是错误的也死不承认,主观意识非常强。比如,酒后不能驾车,这是法律规定的,可就有人喝了酒兴奋,拿着车钥匙一定要自己开,嘴上说"没事没事,我没醉,警察发现不了"。在一起的朋友这时肯定要把他的车钥匙夺下来,让自己或让没喝过酒的人驾驶车,或打电话找一个代驾,是绝对不让他开车的。可这个人呢,把人家的好心当作驴肝肺,还是吵着要自己开。于是,人家就骂了:"㑚咋会介窭头,老酒吃过再开车要闯祸,晓得伐?"把他开车的欲望硬生生压下去。

"窭头"是一种性格缺陷,和朋友同事交往中会让人产生难相处难通融的感觉,应当改之。人啊,不求所有的人都会对你讲知心话,但起码要让人感到你是一个容易接触的人,一个随和的人,一个能听得进不同意见的人。那么,你做人就成功了一大半。

拷横档

引申为敲竹杠、敲诈勒索。

"拷横档",指一件好好的木家具,一定要在主档旁边再加一根横档,意思是节外生枝;引申为敲竹杠、敲诈勒索。

比如一个人找工作,单位已经同意接收,就等签合同了。这时却有人跑来告诉他:你的事可能有变化,另有一人托了总经理,要接替你的位置。这人一听心里就着急起来,又是自己出马,又是去找关系,终于摆平了此事,但也花了不少精力和金钱。私下里他感慨地说:"找工作真难啊,本来好好的,却被人拷了横档。"

社会上一些人专门靠搞歪门邪道过活,"拷横档"是他们经常使用的手段。比如,马路上的"碰瓷",医院里的"医闹",工厂里的假工伤,等等,目的就是为了钱,对此要多加防范。作为从政者,应当实施强力措施,割除这个毒瘤,给大众营造一个风清气正的社会环境。

按头叩脑

> 为了办成一件事,去恳求人家;比喻工作辛苦。

"按头叩脑",意思之一:为了办成一件事,低下你高贵的头颅,弯下你挺拔的脊梁,去恳求人家。比如,儿子大学毕业了,没找到工作,做父母的东托西托,找人帮忙,送礼说好话,脚筋跑断,儿子却无动于衷,父母免不了要埋怨:"阿拉辛辛苦苦,按头叩脑求人家,侬倒好,一天到晚在家玩电脑,自家也不会去跑跑!"意思之二:比喻工作辛苦,一天到晚面朝黄土背朝天。过去农民种田,从插秧开始,耕田、施肥、治虫,到最后收割,都要"按头叩脑",十分劳累。推而广之,在生产一线的工人、农民都在辛勤劳作,为生活而奔波,为社会创造财富,没有他们"按头叩脑",就没有国家的繁荣富强。所以要尊重劳动,尊重劳动人民。

［按头叩脑］

儿子生一百不及老头一只脚

> 指一个女人生了好多小孩,都不及丈夫对自己的疼爱。

"儿子生一百,不及老头一只脚",指一个女人生了好多小孩,尽管儿女们都不错,但儿女对母亲的孝顺,怎及得上丈夫对自己的疼爱呢。

母亲十月怀胎,生下儿女,痛苦辛劳,不用言说。儿女孝顺母亲天经地义。可天下孝顺的儿孙又有多少?红楼梦《好了歌》说得好:"世人都晓神仙好,只有儿孙忘不了!痴心父母自古多,孝顺儿孙谁见了?"只有患难与共、相濡以沫的丈夫才是自己终身的依靠。

事实也是如此,即使有众多儿女,但儿女大了,像鸟儿一样翅膀硬了都要远走高飞,天南海北,国内国外,留在身边的不多。即使有一两个在当地,也要结婚生子,建立自己的家庭,陪伴老娘的时间也不多,只有老伴儿终身在你身旁,相扶相伴,直到终老。所以,做夫妻的,一定要相互搀扶,照顾好对方,保持健康和乐观,不要撇下另一个先走了。

[儿子生一百，不及老头一只脚]

侃

指唠叨，喋喋不休。

"侃"，指唠叨，喋喋不休，埋怨起来没完没了。比如老公偶尔做错了事，回到家，老婆一顿数落，老公免不了要反抗几句："侬多侃毛侃类，烦煞类。"

"侃"人时，"侃"的人心情不好，对对方有一股怨气；被"侃"的人更不舒服，本来受到了挫折，心情就郁闷，又在家里被妻子"侃"，脾气好的可能会忍气吞声，脾气暴躁的，就会暴跳如雷，夫妻俩会大吵一场，严重的还会打上一架。

所以，作为丈夫，有过失就要主动认错，不能大男子主义；作为妻子，对丈夫的缺点，也要点到为止，千万不要为小事伤了感情。

头埭梗青

指脑子糊涂,拎不清,不知轻重。

"头埭梗青",指脑子糊涂,拎不清,不知轻重。比如,儿子与老子说话,口气不小,不时用教育教训的口吻,好像他是老子,老子是儿子。老子气不过,就骂:"倷头埭梗青,用这种口气跟老子讲话,倷有啥资格教训我,规矩也没了,死出去。"父子尿不到一壶,谈崩了。

发生车祸,撞了人,司机从驾驶室出来,不是去看受伤倒地的人,而是先去看自己的车子有没有刮擦。旁观者就会说:"人被撞成这个样子,闯大祸了,倷还头埭梗青,汽车擦点坏算什么,快打120,救命要紧。"

说话做事,有制度有规矩的,要按规矩办;没有的,要按约定俗成办;遇到突发事件,要迅速使自己冷静下来,分清轻重缓急,凡涉及生命安全的,必须坚持生命第一,把救人作为一切的根本,千万不能"头埭梗青",乱搞一通。

河水翻浆

> 把事情搞得一塌糊涂,不可收拾。

"河水翻浆",指把事情搞得一塌糊涂,不可收拾,好像河床倒翻,到处都是污泥浊水。比如,夫妻吵架,两人都控制不了情绪,不仅恶语相向,发生肢体冲突,而且失去了理智,竟摔起了家里的东西,你摔一件我摔一件,你摔碗我敲电脑。如果公婆或丈人丈母住在一起,就会感到很难受,肯定要出来苦苦相劝:"你们俩平时和和睦睦的,小日子太太平平,今天怎么啦,火气介大,家里弄勒河水翻浆,不想过日子了是伐?"然后先把自家的儿子(女儿)拖走,让其冷静下来,再想办法让小夫妻俩和好。

工作中也会碰到一些引起"河水翻浆"后果的事情。比如,领导交给一位年轻人一项任务,本来觉得这项任务挺简单的,结果被他办得复杂起来,而且引起了一定层面的不良反应。领导很恼火,对年轻人说:"这么简单的事被你搞得一塌糊涂,河水翻浆,我还要去给你擦屁股,叫我怎么说你好呢?"

"河水翻浆",会造成比较严重的后果。所以,心里有气时要尽量克制,冷静下来;做事也要预先考虑周全,不能鲁莽。

行魔苦运

做出了违背自己意愿、违反社会常理的事。

"行魔苦运":行,行为,行动;魔苦,被魔鬼附体使本体受苦。一个人不知什么原因,做出了违背自己意愿、违反社会常理的事,宁波人称之为"行魔苦运"。

比如,一个男人,妻贤子孝,温饱不愁,小日子过得很舒坦。可饱暖思淫欲,男人的心活起来了,在外面找了个小女人。从此家里就不太平了,三天两头不在家,冷落了妻子,忽略了儿子,一门心思都在外面这个女人身上。结果事情败露,不仅自己身败名裂,而且害苦了家人。邻居们就会很惋惜地说:某某过去多少迷恋老婆,现在"行魔苦运",把家毁了。

一些人"行魔苦运",局外人看来非常莫名其妙。按常理,这个人是不应该犯某种低级错误的,可偏偏又发生了,令人很难理解。我看,关键还是有心魔,心魔不除,在劫难逃啊。所以,行什么运还是要靠自己的修炼,修炼好了就会避免许多因自身不足而造成的遗憾。

瘟鸡耷头

指遇到困难和挫折就垂头丧气、失去信心的样子。

  "瘟鸡耷头",指鸡生病时耷拉着头,无精打采的样子。鸡瘟是一种传染病,一旦蔓延,村庄里的鸡十有八九就死了,所以农民看到鸡出现这种症状,心里就有说不出的苦。把鸡生病时的状态引申到人身上,说的是一个人遇到挫折,或丧失了钱财,或受到了批评,或断了官路等,表现出来的闷闷不乐、垂头丧气、阴阳怪气的样子。任何人都会犯错,任何地方的发展都不会一帆风顺,切忌遇到困难就丧失信心。

  比如,一个员工受老板的委托去谈一笔生意,结果生意没谈成,还被骗走一大笔钱,给公司造成了很大的损失。老板当然很生气,狠狠地批评了他,并要辞退他。这时,他的情绪极度低落,整天唉声叹气、精神萎靡,头也抬不起来。同事们好心劝他:"你不要像'瘟鸡耷头'一样,赶快想想办法,如何把钱追回来,再跟老板说说,让他留下你。"

  "瘟鸡耷头"是一种不良的思想情绪状态。任何人做任何工作都不会是一帆风顺的,都会遇到挫折,甚至会犯错。如果碰到困难和挫折就垂头丧气、失去信心,一个人就不会成长进步。看起来风风光光、光芒四射的大人物,谁也不知道他的背后经历了多少磨难和辛酸。只有昂首直面人生,任何时候都不被苦难所击倒,才能获得未来的成功和荣光。

[瘟鸡耷头]

候分刻数

不多不少刚刚好，不大不小刚刚好。

"候分刻数"，指不多不少刚刚好，不大不小刚刚好。过去木匠做家具，基本不用钉子和胶水，木头与木头之间的衔接，全部要用榫头。所谓榫头就是在木头上凿一个方形或圆形的孔，在另一根木头上凿一个楔子，楔子对孔如果不大不小刚刚好，叫"候分刻数"。如果孔太大太小或楔子太大太小都不行，这就要求木匠有较高的工艺水平。"候分刻数"也可用于其他方面。比如，预先安排了10个座位，请人吃饭，但到底有几个人参加，你估计不准，结果刚好来了9个人，加上自己，共10个人，这时你会说，"候分刻数"刚刚好。

"候分刻数"是一种完美的状态，其实世界上很少有"候分刻数"的事。GDP年初计划增长8.5%，到年终可能是增长8.2%或8.6%，其实都是可以的。当然发射飞船，研究精密仪器，必须一丝不苟，一丝一毫都不能马虎。

[候分刻数]

哏

> 板着脸说话，说出来的话能把人噎死。

"哏"，指板着脸说话，说出来的话能把人噎死。比如，你向他打听某人去哪了，他回答：我又不是其跟屁虫，他去哪我咋晓得？问他这件事手续咋办，他随手扔过来一本办事手册，说：你自己看！

如果这种人在为群众服务的窗口单位工作，就属于脸难看、话难说、事难办了。如果与人同处一个办公室，就有可能是孤家寡人了。

"哏哏"的人一部分属性格使然，比较内向，不善于与人打交道，说话"哏"，熟悉他的人可以谅解；一部分属于心态问题，比如夫妻吵架了，被领导批评了，遇到骗子了，等等，心里不开心，于是工作上就借机发泄。这种人应提高自身修养，无论如何都不能把自己的不良情绪带到工作中去，不能影响为老百姓办事的热情。

呒郎看天

没有自己的主张，人云亦云，亦步亦趋。

"呒郎看天"："呒郎"指没文化没头脑的人，"呒郎"没有自己的主张，人家说什么他就说什么，人云亦云；人家干什么他就干什么，亦步亦趋。所以，宁波人把没有本事的人称为"呒郎"，含有看不起、轻视的意思。

其实，"呒郎"也有聪明之处，那就是学。自己不会，看别人怎么干我也怎么干，一来二去不也学会了吗？我们做群众工作，一个基本的方法就是典型示范，在农村推广一项改革措施、一项新技术，往往先选择一个村或一个农户，让他们先干起来，有成果了，就让周边的干部群众来现场参观考察，介绍试点经验。老百姓看到了实实在在的利益，就会照样去做。农民先做"呒郎"，然后把新技术新成果学会了，就能增加收入。所以，有些时候做做"呒郎"也是值得的。倒是有些自作聪明的人，有时反被聪明误，害人害己。

七依八对

> 文不对题，牛头不对马嘴，无厘头。

"七依八对"，同义的宁波话还有"丫勾乱经""对来扯去"等，指文不对题，牛头不对马嘴，无厘头。"七依八对"的人思路混乱，与别人的想法很难合拍。比如，求职面试，考官问他如何做好安全生产，他回答的却是如何处理人际关系，考官当面不说，心里肯定在想：这个人有点"七依八对"。又比如，一个人做秘书工作，领导叫他写一篇关于如何加快重大项目建设的讲话稿，他却写了一篇关于保持社会稳定的稿子，如果稿子急着要用，领导只好脱稿讲了。用不了多久，这个秘书肯定会被调离岗位。工作中如此，生活中也会有这种情况。比如，妻子烧菜时发现家里酱油用完了，叫丈夫去买一瓶，丈夫急匆匆去了，结果买回来的是一瓶老酒，妻子当时就瞪了眼："你魂灵死出的类，买酱油会买一瓶酒来？"

要克服"七依八对"：首先，要集中注意力，明白人家问什么说什么，要你答什么做什么。其次，要经常进行逻辑思维训练，有条有理思路清晰。最后，要有经验和知识积累，不会因为突发问题而语言失当、行为失措，给人留下"七依八对"的印象。

[七依八对]

眯过眼笑

> 发自内心的喜悦从表情上显露出来。

"眯过眼笑",指发自内心的喜悦从表情上显露出来,眼睛眯成了一条缝,面部的每一块肌肉、每一根神经都含着笑意和喜气。

比如,儿子媳妇生了一个大胖儿子,做爷爷奶奶的嘴巴就合不拢了;某人春节要结婚做新郎了;某人一笔生意赚了几百万;某人要提拔升官了。碰到这些喜事,心情会非常愉悦,春风满面。旁观者就会说上一句:"某某,该两天一直眯过眼笑,有啥好事啦?讲眼拨阿拉听听,大家开心开心。

人逢喜事精神爽。有了好事很开心,是人之常情,心情好待人也和善,干事也有劲。愿各位好事常有,喜事不断,每天都开开心心。

衣裳贼破 胆子贼大

人穷到底了就什么都不怕了。

"衣裳贼破,胆子贼大",是说人穷到底了就什么都不怕了。赤脚的不怕穿鞋的,也是这个意思。

人穷,牵挂就少,后顾之忧也少,胆子就大了。古代农民起义,大多是因为实在太穷了,饿死不如造反,于是就轰轰烈烈地干上了,好多皇帝就因此被拉下了马。

改革开放前,体制僵化,农村经济落后,好多地方连温饱都没解决。一些头脑活络的农民大着胆子,悄悄地干起了私活,有的偷偷搞包产到户,有的倒买倒卖,有的私设家庭工坊,为三中全会后的农村改革揭开了序幕。

所以,胆子大,敢创新敢冒险,是生产力发展的强大动力。当然,胆子大也要有前提,就是不能违法犯罪,不能损害国家和公众利益,否则就会有牢狱之灾。

咬奶头

母亲溺爱、袒护自己的孩子，从小娇生惯养，结果造成不良后果。

"咬奶头"，不但宁波人说，其他地方的人也有这样说的。意思是母亲溺爱、袒护自己的孩子，从小娇生惯养，结果造成不良后果。

据说出处是这样的：过去有一位母亲对自己的儿子宝贝得不得了，任何事情任何场合都宠着他，造成儿子从小任性，长大后做尽坏事，最后被绳之以法。临刑前他向母亲提了一个要求，想再吃一口母亲的奶，母亲也真的答应了。儿子含着母亲的奶头并狠狠地咬了下来，还恨恨地说："是你这个老东西害了我。"从此以后，人们把父母亲对子女护短的行为称作"咬奶头"。

"咬奶头"的危害很大。一个家庭有护短的，小孩子就教育不好，成不了才，甚至还会走上邪路；一个单位的领导对下属护短，见错误不批评，做好人，这个单位的风气会搞坏。家庭也好，单位也好，对子女、对下属只有严格教育、严格管理，才能出人才、出好风气，这也是对人负责的一种表现。

［咬奶头］

人要衣装 佛要金装

指包装很重要。

"人要衣装,佛要金装",说的是包装很重要。俗话说:三分人相七分妆。一个人尤其是女人,如果天生相貌平平,要想漂亮起来,除了现代整容术以外,就要靠化妆和衣着。衣服穿得得体,脸上妆化得到位,不仅能弥补先天不足,让人觉得年轻美丽,而且会增强自信,振奋精神,让人觉得你充满青春活力。

人的装扮在职场上也显得尤为重要。如果你参加面试,参与接待、商务洽谈,穿得衣衫不整,素面朝天、脸色憔悴,既是对别人的不尊重,也会给对方留下不好的印象。该录取就不录取了,该谈成的生意就黄了。

由此引申到一个城市。尽管这个城市经济实力很强,但市容破破烂烂,垃圾遍地,城不像城,乡不像乡,外人一看,就会有这样一种感觉:这个城市管理有问题,投资环境不好。长此以往,这个城市就可能会衰败下去。

所以,一个人也好,一个城市也好,外在形象十分重要,要好好装扮。当然,我们反对搞"虚头巴脑"的政绩工程,也看不惯一个人浓妆艳抹、妖里妖气,而是让人看起来舒服就行。

面白料峭

指脸色苍白，面露寒气，是一种病态。

"面白料峭"：面白，指脸色苍白；料峭，是微寒的意思。苏轼有诗云："料峭春风吹酒醒，微冷，山头斜照却相迎。回首向来萧瑟处，归去，也无风雨也无晴"。"面白料峭"意指脸色苍白，面露寒气，是一种病态。

有几种情况会引起这种状态：一是病后，比如发热、拉肚子后，面孔煞白；二是惊吓过度，吓得脸色都变了；三是睡眠不足，精神不佳，脸色不好；四是营养不良，面露菜色。五是受到辐射，红细胞球减少。

比如，某人长期熬夜工作，白天无精打采，脸色苍白，同事们出于关心会问："侬宁这段辰光咋会面白料峭？要当心身体，多休息休息，夜里厢早眼困，否则要生病类。"笔者原在科研单位工作，一位同事是搞辐射育种的，就是用钴60同位素（Co-60）产生的放射线辐射农作物种子，以期改变种子染色体的DNA结构，使基因突变，获得理想的新品种。由于长期接触放射性元素，这位同事看上去"面白料峭"，身体很虚弱。我们很敬佩他的敬业精神，也深深体会到要获得一项科研成果的不易。

希望大家平时注意休息，有病早治，健健康康地工作和生活。

笨贼偷捣臼

比喻做事不动脑筋，不会采用灵巧省力的办法。

做贼偷的是又重又不值钱的石捣臼，你说笨不笨？"笨贼偷捣臼"，形容某人没有经济头脑，不懂得追求利益最大化，或比喻做事不动脑筋，不会采用灵巧省力的办法。

比如，单位领导叫两个下属去搬一个书柜，两人去了好久也没搬上来，领导急了，亲自去看，两人说：搬不动。领导看了看柜子，就批评开了："你们是笨贼偷捣臼，脑筋不动，你们不会把柜子里的抽屉、门等可以活动的东西先拿出来另外搬吗？这样分量不是减轻了吗？"又比如，一个企业效益好，年终时老板要奖励有突出贡献的员工，实物奖品丰厚，价值不等，按抽签顺序领奖，抽到第一的可先挑，依次类推，人人有份，发完为止。结果抽到第一名的，可能是为了发扬风格，随手拿了一件就走，价值低又不实用。回到家里，老婆问他得了什么奖，他拿出奖品说：就是这个。而且把抽奖的规则也做了汇报。当然被老婆一顿臭骂："侬笨贼偷捣臼，好东西不要，拿了介推扳的东西，有啥用场？"

市场经济时代要有效益观，付出了智力、劳力和资金成本，就要努力追求利益的最大化。同时，凡事都要动脑子，付出要少效率要高，收获要多，千万别做"笨贼"。

摇啊摇

摇啊摇,

摇到外婆桥。

外婆是介话:

介歪①小宁②要其啥?

斩斩蚴③陀④蛇,

陀蛇还非(不要)吃;

斩斩蚴小蛇,

小蛇囫囵吞,

鲤鱼跳龙门,

一跳跳到水缸墩,

倾令匡郎做戏文。

注:① 歪:音 wai,意为坏。

② 宁:音 ning,意为人。

③ 蚴:音 yu,意为喂。

④ 陀:音 duo,意为大。

月月歌

正月落错过,

二月芥菜大,

三月拗乌笋。

四月拔茅针[①],

五月煮瓠羹,

六月乘风凉,

七月七巧凉,

八月桂花香,

九月九重阳,

十月芋艿奥[②]鸡娘,

十一月投钱粮,

十二月乒乓放炮仗。

注:① 茅针:指茅草花抽穗前的芯子,可以吃。
② 奥:意为烩。

九九歌

一九二九滴水不流，

三九四九胶开捣臼，

五九四十五，树上叫鹄，

六九五十四，笆头出嫩刺，

七九六十三，破衣两头甩①，

八九七十二，黄狗困阴地，

九九八十一，飞爬一齐出。

注：① 甩：音 guan，意为随意放。

实在要买中国货

一双皮鞋美国货，

两块洋钿买来呵，

三日穿过鞋头破，

四穿凉棚洞眼多，

五（俕）看罪过弗罪过，

六（落）起还要重买过，

七（切）勿再买美国货，

八（百）样东西出烂屙，

九（究）竟要买啥格货，

十（实）在要买中国货。

这是20世纪三四十年代提倡国货、抵制洋货时的一首儿歌。

小姑姑

哈菜菇,盐茄糊,
肚皮会吃结鼓鼓,
走到后门口,
估一估,
生个小姑姑,
小姑姑福气好,
一抬抬到城隍庙,
城隍老爷呵呵笑。

夜哭郎

天皇皇，地皇皇，

我家有个夜哭郎，

过路君子读一遍，

一夜困到天大光。

子字歌

正月啃瓜子,

二月放鹞子,

三月上坟抬轿子,

四月种田下秧子,

五月白糖揾粽子,

六月吃饭扇扇子,

七月西瓜吃心子,

八月月饼夹馅子,

九月吊红夹柿子,

十月沙泥炒栗子,

十一月落雪子,

十二月冻煞凉亭叫花子。

郎啊郎

郎啊郎啊郎,

骑马到松江,

松江老虎叫,

快快到余姚,

余姚老戎(婆)大脚板。

火萤队

火萤队,夜夜来,

一夜勿来两夜来,

乔家门头搭灯台,

灯台破桥门过,

桥门老头讴①俫吃汤果。

注:①讴:意为叫。

姑姑害我

浆板汤果,

苔条过过,

姑姑害我。

    这是一个凄惨的故事。哥哥娶了媳妇成了家。家有公婆和小姑,公婆宠小姑,新媳妇忙里忙外,有做不完的活,生看见熟吼份。一天,新媳妇嘴馋,在厨房偷偷做了几个汤果,烧熟了,因为太烫还没吃,忽然小姑不声不响走了过来,新媳妇慌了神,忙不迭地想把汤果咽下去。汤果糯米做,又烫又黏,卡在了喉咙里,新媳妇一口气上不来丧了命,变成了一只鹧鸪鸟,每天在家门口的树上叫:浆板汤果,苔条过过,姑姑害我。

鹁鸪

一粒星嘎仑登，

二粒星挂油瓶，

油瓶油炒豆豆，

豆豆辣抲水獭，

水獭乌抲鹁鸪，

鹁鸪长会打墙，

鹁鸪矮会抲蟹，

抲来三只大闸蟹，

一只缺（吃）两只卖，

卖来钞票拨阿娘①。

注：①阿娘：意为奶奶。

阿福

哑雀雀肚下白,三块鸡肉请老伯,

老伯泥朵①聋,快快雇裁缝,

裁缝手脚闲,快快抲野猫②,

野猫眼睛眯一眯,眯出和尚,

和尚笃瓜,笃出姆嬷,

姆嬷描花,描只疥疤③,

疥疤调枪,调出麻将(雀),

麻将笃④谷,笃出阿福,

阿福福气好,抬个老戎享享福,

生出儿子红萝卜,酱油揾揾⑤两老缺⑥。

注:①泥朵:意为耳朵。

②猫:音 man。

③疥疤:意为癞蛤蟆。

④笃:意为啄。

⑤揾:意为蘸。

⑥缺:意为吃。

小白菜

小白菜,嫩艾艾,

老公出门到上海,

上海末事①带回来,

邻舍隔壁分眼开;

小白菜,嫩艾艾,

老公出门到上海,

十元廿元带进来,

介好老公阿里来。

注:①末事:意为副食品。

要老公

两角辫子翘又翘,
问侬老公要勿要,
老公长,会打墙,
老公矮,会抲蟹,
抲来两只老毛蟹,
一只吃,一只卖,
顶好卖拨丈母娘。

踢踢扳扳

踢踢扳扳,

扳过南山,

南山北斗,

苏州买牛,

牛蹄马脚,

前脚后脚,

失落蹄子跔①一脚。

注:①跔:意为缩脚。

小时候玩的一种缩脚的游戏,几个人边唱边玩。

虫虫飞

斗斗虫虫飞,

抲只麻雀剥剥皮,

会吃吃眼去,

非①吃嘟地飞去,

飞到高山吃白米。

注:①非:意为不。